História: Questões & Debates
Associação Paranaense de História - APAH
Curitiba — Junho 1986

SUMÁRIO

Francisco Moraes Paz — Apresentação 1

QUESTÕES
Klaus Tenfelde — A história das empregadas domésticas: aspectos estruturais nos séculos XIX e XX 3

TEORIA DA HISTÓRIA
Jersey Topolski — O conteúdo temporal da narrativa histórica 41

ENSAIO
Dimas Floriani — O Sandinismo e os desafios da Nicarágua hoje 57

PROJETOS DE PESQUISA
Anamaria Aimoré Bonin, Angela Duarte Damasceno Ferreira, João Carlos Torrens e Márcia S. de Andrade Kersten — De sem terra a colono: trajetórias e contradições de um projeto comunitário de vida 65

Ana Paula Vosne Martins — A organização de mulheres em Curitiba de 1952 a 1982 71

DOCUMENTO
Wilson Martins — Depoimento: reflexões sobre a história política do Paraná nos anos 50 79

NOTAS DE LEITURA 87

NOTÍCIAS DA APAH 109

ÍNDICE V. 6 113

W9-ADT-538

ISSN 0100-6932

História: Questões & Debates
Associação Paranaense de História - APAH
Curitiba — junho 1986

SUMÁRIO

Francisco Moraes Paz — Apresentação 1

QUESTÕES
Klaus Zwilde — A história das empregadas domésticas: aspectos estruturais nos séculos XIX e XX 5

TEORIA DA HISTÓRIA
Jerzy Topolski — O conteúdo temporal da narrativa histórica ... 41

ENSAIO
Elmas Harani — O Sandinismo e os desafios da Nicarágua hoje ... 57

PROJETOS DE PESQUISA
Amância Amaro, Ronin, Ângela Duarte Damasceno Ferreira,
João Carlos Ferreira e Maria S. de Andrade Kersten — De
sua terra o colono: trajetórias e contradições de um projeto
comunitário de vida 63

Ana Paula Vosne Martins — A organização de mulheres em Curitiba de 1982 a 1983 71

DOCUMENTO
Wilson Martins — Depoimento: reflexões sobre a história política
do Paraná nos anos 50 79

NOTAS DE LEITURA 87

NOTÍCIAS DA APAH 101

ÍNDICE 113

ISSN 0100-8932

História: Questões & Debates, Curitiba, a.7 n.12 p.1-114 jun. 1986

INDICE

v.6, jun.1985-dez.1985

Araújo, Inês Lacerda de
Linguagem: do signo ao discurso, 11:137-64
Recensão
Romano, R. **Corpo e cristal: Marx romântico**, 11:259-61
Bittencourt, Pulquério
O estado e as transformações agrárias, 11:225-37
Bottmann, Denise
Recensão
Revista Brasileira de História, v.3 n.6, set.1983; v.4 n.7, mar.1984,
10:111-4
BRASIL, 10:61-81
Burmester, Ana Maria de Oliveira & Paz, Francisco Moraes
Recensão
Ladurie, E.R. **Montaillou, village occitan**, 11:261-72
CIDADES BRASILEIRAS, 10:3-23
Costa, Odah Regina Guimarães
O estudo das estruturas agrárias no Departamento de História da
Universidade Federal do Paraná, 10:91-108
DISSERTAÇÕES EM HISTÓRIA DO BRASIL, 10:109-11
ECONOMIA RURAL, 11:225-37
EDUCAÇÃO, 11:205-24
ENSINO, 10:83-90
ENSINO DE 1.º GRAU, 11:205-24
ÉPOCA COLONIAL
BRASIL, 10:3-23
ESTADO, 11:225-37
ESTRUTURAS AGRÁRIAS, 10:91-108
ESTUDOS SOCIAIS, 11:205-24
FILOSOFIA DA LINGUAGEM, 11:137-64
FILOSOFIA SOCIAL, 11:165-204
FONTES HISTÓRICAS, 11:239-50, 11:251-8
GIBI
ver HISTÓRIA EM QUADRINHOS
HISTÓRIA, 10:3-23, 10:83-90
HISTÓRIA AGRÁRIA, 11:225-37
HISTÓRIA DEMOGRÁFICA, 11:239-50
HISTÓRIA EM QUADRINHOS, 10:83-90

HISTÓRIA POLÍTICA, 10:61-81
HISTORIOGRAFIA, 10:25-60
Lacerda, Maria Thereza B. & Millarch, Marilene Z.
  O bibliotecário e a documentação histórica, 11:251-8
Ladurie, E.R. **Montaillou, village occitan** (recensão), 11:261-72
Lefort, Claude
  Pensar a revolução na Revolução Francesa, 10:25-60
LINGUAGEM, 11:137-64
LITERATURA, 10:83-90
MARXISMO, 10:61-81
Millarch, Marilene Z.
  ver Lacerda, Maria Thereza B., colab.
Mott, Luiz
  Fontes inquisitoriais para o estudo da demografia histórica no Brasil, 11:239-50
Munakata, Kazumi
  O marxismo brasileiro originário (anos vinte), 10:61-81
Paz, Francisco Moraes
  Corpos disciplinados, corpos individualizados, 11:165-204
  ver Burmester, Ana Maria de Oliveira, colab.
Pereira, Marco Aurélio
  O gibi como recurso didático, 10:83-90
PESQUISA HISTÓRICA, 10:83-90
Pinheiro Machado, Brasil
  Problemática da cidade colonial brasileira, 10:3-23
PODER, 10:25-60
REFORMA AGRÁRIA, 11:225-37
Revista Brasileira de História, v.3 n.6, set.1983; v.4 n.7, mar.1984 (recensão), 10:111-4
REVOLUÇÃO FRANCESA, 10:25-60
Romano, R. **Corpo e cristal: Marx romântico** (recensão). 11:259-61
Schmidt, Maria Auxiliadora Moreira dos Santos
  O porquê dos Estudos Sociais, 11:205-24
SIGNO, 11:137-64
TRABALHO, 11:165-204

Apresentação

"História: questões & debates", um desafio a que se lançou um grupo de professores, alunos e pesquisadores, preocupados em abrir mais um espaço de reflexão da sua produção acadêmica, submetendo-se à crítica de seus pares. O desafio residia, também, em assegurar a continuidade deste projeto, ampliando-o e renovando-o sistematicamente. Apresentar, pois, o décimo segundo número — que abre o sétimo ano da revista — significa, a princípio, dizer de um esforço conjugado cujos resultados são manifestos.

Tomando-a no seu conjunto, "História: questões & Debates" apresenta dois traços fundamentais. Por um lado, a convergência de múltiplos discursos, sinal inequívoco da proximidade de um conjunto de saberes que compõem as ciências do homem. Por outro, a renovação temática constante, evidência precípua das inquietações que fazem parte da própria produção do saber.

O presente número constitui, em particular, uma síntese desses traços. Historiadores, antropólogos e sociólogos apresentam suas falas, no propósito comum de levar ao leitor suas reflexões, submetendo-as ao debate. A isso, somam-se vários discursos, elaborados em torno de antigas e novas questões, partindo de novos recortes teórico-metodológicos capazes de captar múltiplas pulsações sociais.

Nesse sentido, tomamos como exemplo o artigo do professor Klaus Tenfelde que, através das empregadas domésticas dos séculos XIX e XX, lança um outro olhar sobre a História Social da Alemanha. Percorrendo os meandros da legislação germânica e as formas de inserção de uma dada população na sociedade urbana, ele evidencia a construção da "sociedade do trabalho". Indivíduos menores na compo-

2

sição de uma História maior, as criadas são abordadas se gundo suas preocupações específicas de preparação para o lar higiênico e disciplinado, capaz de reproduzir os hábitos do "petit bourgeois" contido e polido.

Isso nos remete, por exemplo, à necessidade de se avaliarem modelos históricos que apostaram naqueles que rejeitariam inexoravelmente os padrões de outra classe, opondo-se a ela até o término de sua ditadura... Para desconforto de muitos, à medida que a própria pesquisa avança, nossos referenciais necessitam ser avaliados. E, com eles, o entendimento do que vem a ser "fazer História"...

Acreditamos que, mais uma vez, ao levantar questões, "História: questões & debates" remete-nos ao debate. Poderíamos acreditar numa proposta diferente?

Francisco Moraes Paz

A HISTÓRIA DAS EMPREGADAS DOMÉSTICAS ASPECTOS ESTRUTURAIS NOS SÉCULOS XIX E XX (*)

KLAUS TENFELDE
Professor do Instituto de História Moderna da Universidade de Munique, Alemanha Ocidental.

RESUMO

Neste artigo é ressaltado o interesse do estudo das empregadas domésticas, seja pela abundância das fontes existentes, seja por tratar-se de um aspecto significativo do cotidiano do trabalho feminino, ligado aos serviços domésticos, possibilitando o entendimento da História da sujeição feminina.

Apresentar tal objeto a partir dos quadros de uma História Social sugere um estudo da legislação que definiu este espaço de trabalho, bem como o estudo das diferentes procedências deste segmento social. A estas preocupações soma-se ainda uma periodização que aponta para a redução quase absoluta da atividade na Alemanha Ocidental; as variáveis que determinam as diferenciações internas dos serviçais e sua perda de importância no espaço do trabalho europeu são questões aqui apresentadas à luz da noção de experiência do proletariado em uma sociedade onde o trabalho industrial está em franco processo de generalização.

I. O INTERESSE PELA HISTÓRIA DAS EMPREGADAS DOMÉSTICAS

É de conhecimento geral que os aspectos jurídicos, sociais e políticos da assim chamada "questão serviçal" e sua história antes de 1914 eram o foco da atenção pública: as discussões publicitárias em torno do reacionário Direito Prussiano da Criadagem (e do Direito de outros estados, que

---

* Este trabalho faz parte de um projeto mais amplo, qual seja, "A mulher e a empregada doméstica de 1800-1945 (Alemanha Ocidental)". Tradução de Vera Lucia Huebner.

neste ponto se identificavam com ele) aceleraram a pesquisa científica da historiografia recente sobre a economia nacional e as reformas sociais burguesas; o recém-iniciado movimento dos criados contribuiu para a multiplicação destes esforços[1]. Pode-se ir mais longe e afirmar que o problema já merecera atenção pública, reconhecidamente quando os criados ou, de modo mais abrangente, a criadagem provocava descontentamento aos patrões — o que ocorria, em regra, quando a oferta de mão-de-obra escasseava. Sempre que havia falta de criados, os empregadores costumavam observar quão preguiçosos estes realmente eram[2]. Desta forma, as fontes da história dos serviçais, que pelos motivos expostos são inúmeras, espelham muitas vezes primeiramente os preconceitos de seus causadores; somente após o final do século XIX — onde o notável estudo de Oskar Stillich marca uma nova postura[3] — observam-se no debate vozes cientificamente engajadas e objetivamente tendenciosas. Este debate passa então a receber um fundamento mais sólido pela sua importância sócio-econômica. E é nesta maioria de levantamentos regionalmente localizados[4], ao lado dos dados estatísticos do tempo do império, que se deve basear a análise estrutural da história das empregadas domésticas. É evidente que o aludido horizonte informativo, no qual se mesclam vozes dissimuladas e depoimentos dos diretamente atingidos[5], permite e sugere questionamentos que transcedem análises estruturais, o que foi utilizado em muitas contribuições recentes[6].

1 Compare-se as noções de Politik und Gesinderecht im 19. Jahrhundert, de Thomas VORMBAUM (vornehmlich in Preussen 1810-1918). Berlin, 1980. p. 333-82.

2 Verifique para uma das áreas, Klaus TENFELDE, Landliches Gesinde in Preussen. Gesinderecht und Gesindestatistik 1810 bis 1861. Archiv für Sozialgeschichte, 19: 189-229, 1979. Como exemplo, veja LOEBE, William. Das Dienstbotenwesen unserer Tage oder was hat zu geschehen, um in jeder Beziehung gute Dienstboten herazuziehen? Leipzig, 1855.

3 STILLICH, Oscar. Die Lage der weiblichen Dienstboten in Berlin. Berlin, 1902.

4 Compare notas 3, 11, 28, 44.

5 A mais conhecida é a de Doris VIERSBECK, Erlebnisse eines Hamburger Dienstmaedchens. München, 1910. Numa linguagem impressionante e, por isso, nem sempre confiável, DASEIN einer Wirtshausmagd: Lena Christ, Erinnerungen einer Überflüssigen. München, 1972. Os respectivos periódicos contemporâneos contêm mais uma série de indicações; compare Haus und Herd, porta-voz das Associações Católicas de Empregadas Domésticas, v.1 1907 —; Unser Haus, semanário para as empregadas domésticas de confissão evangélica, porta-voz das Associações de Criadagem Evangélicas da Alemanha, v.1 — 1909 —; Zentralorgan des Verbandes der Hausangestellten Deutschland, v.1 — 1909 —. Também, ANDREA, A. Dienstmaedchen; Nach dem Leben erzahlt. Die Frau, 1: 360-5, 1893/94.

6 Compare notas 7 e 8.

Já o antigo debate sobre a natureza da criadagem, com orientação centralizada nas cautelas jurídicas que definem sua existência, até aqui motivada de uma maneira não muito clara, era que ela abrangia necessariamente duas realidades completamente distintas da mesma característica jurídica: por um lado a criadagem rural, que trabalhava na lavoura e, por outro lado, a preponderante e crescente criadagem urbana.

Nas duas categorias os interesses do senhorio mantenedor eram tanto congruentes quanto contrapostos, e de acordo com isso, o debate se acentuava. Desta maneira, a manutenção da quase feudal situação jurídica da criadagem, tendo em vista a ampla fiscalização, controle e disponibilidade do senhorio sobre o complexo de trabalho e até mesmo sobre a vida "privada" da criadagem, estabelecia-se certamente pelo interesse de ambas as partes; mas, por outro lado, a realidade do mercado de trabalho criou contrastes igualmente decisivos sob o agravamento do ritmo do crescimento conjuntural, que podem ser facilmente reconhecidos no desenvolvimento do "êxodo rural" — a periódica e ameaçadora perda de mão-de-obra de um lado correspondia ao lucro, ao menos passageiro, do outro lado, pois a criadagem rural, principalmente a do sexo feminino, aceitava com prazer o trabalho doméstico urbano, preferindo o trabalho mais ameno e a comodidade da vida na cidade, assim como as maiores oportunidades de casamento.

Se, por conseguinte, o debate sobre a criadagem se esgotou amplamente com o início da República de Weimar, isto não foi resultado isolado da abolição dos direitos da criadagem, constantemente sujeitos à controvérsia, pelo Conselho dos Representantes do Povo ainda no ano de 1918 e das posteriores e em si certamente duvidosas discussões por uma regulamentação socialmente justa das condições dos empregados domésticos. Isso se deveu às modificações nas relações de mercado de trabalho. Não somente a guerra criaria inúmeros empregos para as mulheres, mantidos posteriormente apesar da conjuntura inflacionária, principalmente desde os meados dos anos 1920; mas também

os outrora marcantes movimentos migratórios do campo
para a cidade e entre as cidades recuaram drasticamente
no início dos anos 1920. Além disso, o trabalho doméstico, através das modificações de suas características e das
mudanças estruturais da economia doméstica mantenedora da
criadagem, estava sujeito a uma profunda mudança, de maneira que a secular tendência à redução da criadagem teve
sua continuidade.

Assim, a "questão serviçal", segundo o conceito antigo,
já pertencia ao passado mesmo na República de Weimar —
tanto mais o é na atualidade, uma vez que a profissão, se
não desaparecida, tem, segundo o número das que a exercem como função principal, apenas uma conotação margi-
nal ; em que pese a existência de uma forma residual como
"diarista" e "empregada doméstica", na maioria das vezes
num relacionamento ocupacional não regulamentado (nem
socialmente definido), o qual tanto é propagado quanto difícil de ser quantativamente estimado. Não foram os aspectos
sociais desta ocupação sempre marginalizada, menos ainda
as poucas empregadas de tempo integral com seus problemas sociais ou político-tarifários, similares em seu   espírito
de procedência, que levaram a pesquisa científica ligada à
história dos serviçais, especialmente das empregadas domésticas, a receber estímulos para sua elaboração. Com os escritos de Rolf Engelsing[7], se abriram clareiras no emaranhado das fontes informativas e se reuniram conhecimentos fundamentais para a história da criadagem, e o novo
interesse neste assunto não foi manifestado a partir da história convencional do movimento operário, mas sim por um
engajamento geral a favor da tradicionalmente desprezada
história dos grupos marginalizados da sociedade, por assim
dizer, oprimidos e politicamente pouco articuláveis[8].

---

7 ELGELSING, R. Dienstbotenlektüre im 18. und 19. Jahrhundert; bem como Das
hausliche Personal in der Epoche der Industrialisierung. In: ———— . Zur Sozialgeschichte
deutscher Mittel-und Unterschichten. Goettingen, 1973. p.180-261; Einkommen der Dienstboten in Deutschland zwischen dem 16. und 20. Jahrhundert. Jahrbuch der Instituts für
Deutsche Geschichte, 2:11-65, 1973; Das Vermoegen der Dienstboten in Deutschland
zwischen dem 17. und 20. Jahrhundert. Jahrbuch der Instituts für Deutsche Geschichte,
3:227-56, 1974. Verifique também nota 28.

8 Uta OTTMÜLLER publicou um estudo igualmente engajado e com informações
específicas de completa confiabilidade em Die Dienstbotenfrage; zur Sozialgeschichte der
doppelten Ausnutzung von Diesntmaedchen im deutschen Kaiserreich. Münster, 1978. Como

A história das empregadas domésticas integra uma parte importante da história da mulher, que freqüente e periodicamente é concebida como uma história de opressão; além disso, a história das empregadas fornece um importante acesso para a história do cotidiano[9], seja lá o que for que se compreenda sob este aspecto. Em ambas as direções podem ser encontradas restrições específicas. Sem discuti-las isoladamente, formulamos a seguir perspectivas de análise, cuja finalidade é incluir a história das empregadas domésticas no amplo aspecto de uma história social alemã:

1. Como foi criada uma sociedade que, através dos séculos e especialmente numa fase de sua industrialização e considerável modernização social, pôde sustentar um expressivo grupo de empregados com status de dependência jurídica e social e através de que instrumentos, protótipos e mentalidades lhe foi possível a conservação da hegemonia e sujeição total? O fenômeno da sujeição de mão-de-obra — em conformidade com a regulamentação da criadagem — como também a coincidência de forças sócio-políticas que per-

estudo regional de relação contínua com o desenvolvimento geral, veja SPROLL, H. Die sozio-oekonomische Struktur von haruslichen Dienstboten und Hausangestellten in Baden im 19. und 20. Jahrhundert. Frankfurt, 1977. Extraído de uma exposição, MÜLLER, H. Dienstbare Geister; Leben und Arbeitswelt staedtischer Dienstboten. Berlin, 1981. De dissertações contemporâneas, SCHULTE, R. Dienstmaedchen im herrschaftlichen Haushalt; zur Genese ihrer Sozialpsychologie. Zeitschrift f. bayer. Ladesgesch., 41:879-920, 1978 WIERLING, D. Vom Maedchen zum Dienstmaedchen; kindliche Sozialisation unl Beruf im Kaiserreich. In: BERGMANN, K. & SCHOERKEN, R., Hrsg. Geschichte im Alltag — Alltag in der Geschichte. Düsseldorf, 1982. Da mesma autora, Ich habe meine Arbeit gemacht — was wollt ihr mehr? Dienstmaedchen im Stadtischen Haushalt der Jahrhundertwende. In: HAUSEN, K., Hrsg. Frauen suchen ihre Geschichte; historische Studien zum 19. und 20. Jahrhundert. München, 1983. p.144-71. DEUTELMOSER, M. Die "ausgebeutetsten" aller Proletarierinnen; Dienstmaedchen im Hamburg vor dem Ersten Weltkrieg. In: HERZIG, A. et alii., Hrsg. Arbeiter in Hamburg. Hamburg, 1983. p.319-29. Os estudos para a história do trabalho feminino se concentram em regra, no trabalho operário das mesmas; compare, porém, Ute GERHARD, Verhaeltnisse und Verhinderungen; Frauenarbeit, Familia und Rechte der Frauen im 19. Jahrhundert. Frankfurt, 1978. p.49 e seg. (com documentação), assim como publicações recentes para a história do trabalho doméstico: SIFDER R. Hausarbeit oder: die "andere Seite" der Lohnarbeit. Beitraege zur historischen Sozialkunde, 11: 90-7, 1981. KITTLER, G. Hausarbeit; zur Geschichte einer "Natur-Ressource". München, 1980. E, especialmente, BOCK, G. & DUDEN, B. Arbeit aus Liebe — Liebe als Arbeit; zur Entstehung der Hausarbeit im Kapitalismus. In: FRAUEN und Wissenschaft; Beitraege zur Berliner Sommeruniversitaet der Frauen. Berlin, 1977. p.118-99. Extraído de outros trabalhos para a história da criadagem que surgiram após 1945, compare KELLER, G. Hausgehilfin und Hausflucht; ein soziales Problem von gestern und heute. Dortmund, 1950; SCHULZ, S. Die Entwicklung der Hausgehilfinnen-Organisationen in Deutschland. Tübingen, 1961. Wirtschatswiss Diss. Publicações recentes de cunho apenas popular sobre a cultura do trabalhador, do cotidiano e da cultura industrial, em regra, consideram mais detalhadamente a vida do serviçal. Compare, entre outros, GLASER, H., Hrsg. Industriekultur in Nürnberg; eine deutsche Stadt im Maschinenzeitalter. München, 1980. p.121-2; RUPPERT, W., Hrsg. Lebensgeschichten; zur deutschen Sozialgeschichte 1850-1950. Opladen, 1980. p.156-73.

9 Veja TENFELDE, K. Schwierigkeiten mit dem Alltag. Geschichte und Gesellschaft, 10:376-94, 1984.

mitiam a manutenção do **status quo** da sujeição, consisti-
riam eles numa especifidade da sociedade alemã?

2. Que mudanças ocorreram no **status** das empregadas
domésticas, para o qual a existência da criadagem tanto mais
convergia quanto mais o tempo passava, como "fase transitória" para a socialização pós-familiar de uma grande parte da
população feminina e, neste caso, para as formas de interação
social de outros grupos sociais menores na família, seja entre
homem e mulher como em pessoas do mesmo sexo, tanto nos
círculos do senhorio como no das relações sociais da empregada; que tipos de comportamento e pensamento podem
ser aqui tipicamente relacionados? Ou, para exemplificar,
os afazeres das empregadas domésticas em si mesmos contri-
buiram para a formação e corroboração do hoje considerado
tradicional papel da mulher como mãe e dona-de-casa? Que
papel desempenhou este **status** na difusão da "burguesia"?

3. Como se justificava diariamente o senhorio na economia doméstica, como era possível explicar a aceitação mani-
festamente ampla desta, condição? E, no sentido lato — a
que modificação estava subentendida a autovalorização do
senhorio da média e alta burguesia na fase de sua ascensão,
enquanto este adaptava egoisticamente relacionamentos de
dependência quase feudais — pode-se falar de um feudalismo
oculto na economia doméstica burguesa, apoiado por outros
desenvolvimentos sociais ou esta atitude da criadagem carac-
terizava nada mais que a necessidade de trabalho desta economia, típica para aquela época?

4. A que outras mudanças estruturais internas e ex-
ternas estavam sujeitos o orçamento e o trabalho doméstico
na era da mecanização e outras facilidades técnicas do trabalho em si e da eliminação de importantes campos de ação
dos orçamentos domésticos por uma oferta de serviços colocados à disposição pela urbanização que avançava rapidamente? A história da criadagem não se esgota com os aspectos
aqui mencionados, nem irei responder completamente sequer
a uma das questões aqui levantadas; trata-se muito mais de
aceitar a história das empregadas domésticas somente com

um tipo de "parecer próprio" mas ao mesmo tempo agregá-la a uma história social concebida de maneira ampla. Neste sentido devem também ser entendidas as próximas exposições, com as quais não se pretende mais do que apresentar um panorama orientado estruturalmente e baseado na literatura mais importante sobre o assunto.

II. CONCEITO, DIREITO E ESTATÍSTICA PONTOS DE PARTIDA PARA A PERIODIZAÇÃO DA HISTÓRIA DA CRIADAGEM

As denominações "criado", "criada doméstica" e "criadagem doméstica" ("para a comodidade do senhorio", como se mencionava nas antigas estatísticas prussianas)[10] assinalavam em si mesmas estados de direito e dependência que adentraram vastamente a era industrial como ruínas da constituição social do período feudal — como ruínas que, todavia, estavam repletas de vida. A era do regulamento da criadagem findou somente com a revolução de 1918/19. A nova denominação "empregada doméstica" surgiu com as discussões em torno da questão serviçal, principalmente quando da virada do século e com os primeiros vestígios importantes de um movimento dos criados na década anterior ao início da 1.ª Guerra Mundial.

Os criados constantemente trabalhavam na economia doméstica do senhorio por uma remuneração baseada num contrato de serviço e são acolhidos em sua comunidade familiar. Esta determinação era pouco nítida: nas economias domésticas rurais, a ocupação era temporariamente fora do lar, na agricultura — antes uma regra, devido ao ritmo das estações do ano sendo que também eram difundidos outros tipos de ocupação, como em inúmeras economias urbanas, onde o dono de uma hospedaria mantinha criados para o atendimento no bar, para reduzir os custos[11]. Havia outros

10 Compare, por exemplo, as estatísticas do trabalho remunerado no JAHRBUCH F.D.AMTL.STATISTIK D.PREUSS.STAATS, v.1, 1863 e v.2, 1867. soziale Studie. Stuttgart, 1899. p.85-6 e 199.
11 Compare TREFZ, F. Das Wirtsgewerbe in München; eine wirtschaftliche und soziale Studie. Stuttgart, 1899. p.85-6 e 199.

empregados domésticos que não exerciam funções de criadagem, porquanto não caíam no regulamento dela, seja por
terem um contrato de trabalho especial por desempenharem
uma tarefa superior (como os professores particulares) ou
por prestarem oportunamente serviços remunerados por hora, como faxineiras, costureiras ou lavadeiras. A constância
das relações de trabalho e sua quase generalizada limitação
usual de — em regra — um ano, com silenciosa prorroga-
ção para outro ano, e que igualmente se baseava nos regulamentos da criadagem, foi várias vezes interrompida, o mais
tardar na virada do século XX, com a falta de mão-de-obra,
especialmente nas grandes cidades, onde havia freqüente
mudança de emprego. Mais problemática ainda era a admis-
são na economia doméstica. Os criados viviam na família e
ao mesmo tempo vivendo ao lado da família do senhorio,
pois sua atividade se relacionava gradualmente menos com
as pessoas da casa e mais com "a casa"[12] propriamente dita.

Esta tendência é reforçada pela tradicional e parcial-
mente ainda significativa posição do dono da casa como che-
fe de família.

Já aqui se torna nítido que "o conjunto de prestação
de serviços e de relações interpessoais diferia de lar para
lar"[13], cada economia doméstica era "um mundo em si mesmo"[14], e as funções, divisões e distribuições do trabalho estavam intimamente relacionadas com a classe social, também
com a profissão do senhorio, mas especialmente com a abrangência desta atividade. Encontramos diferenciações de funções mais evidentes entre a criadagem masculina e a feminina. Eram considerados campos de atividade tipicamente
masculinos os do lacaio ou criado, semelhante ao do **butler**
inglês, do cavalariço, do cocheiro — posteriormente motoris-
ta — e do jardineiro.

---

12 Compare W.R.RIEHL, Der Vierte Stand. **Deusche Vierteljahrs Schrift, 4:256,** 1850:
O genuíno sentido do "regimento doméstico" fugiu às nossas famílias. Se ele ainda
estivesse em vigor, a criadagem seria educada na família e com a família. Os chefes
de família são agora de opinião que é nobre ignorar completamente a criadagem...
A literatura relacionada com "o dissolvimento do lar" não pode ser discutida aqui; veja
especialmente SCHULTE, p.881 e outros.

13 FÜRTH, H. Beitraege zur Organisation des Arbeitsnachweises für weibliche Hausangestellte. **Der Arbeitsmarkt, 14:** 84-91, 1910/11.

14 FÜRTH, col.86.

Raras vezes encontra-se um encarregado ou administrador da casa e do pessoal. Somem-se ainda o cozinheiro, o caçador, o porteiro ou encarregado de pôr a mesa; com exceção do cozinheiro, trata-se de funções apenas encontradas nas grandes famílias e que mais tarde, com exceção do criado, vão deixando de ter uma vinculação com o regulamento dos criados. Segundo uma estimativa da virada do século, pelo menos dois terços dos denominados serviçais masculinos não moravam mais na propriedade do senhorio, e o número dos casados entre eles deveria ser comparativamente bem expressivo[15].

A criadagem feminina era distinta. Sem incluir aquelas mencionadas como "temporárias", elas são metodicamente classificadas (e hierarquizadas) como grupo das "funcionárias domésticas". São aquelas encarregadas da administração do lar, que em regra tinham um contrato de trabalho que não se baseava no regulamento da criadagem. Ainda no grupo de empregadas domésticas que trabalhavam fora da cozinha, encontram-se as amas-de-leite e as amas-secas, as camareiras, entre outras. No grupo das cozinheiras, governantas, garçonetes e auxiliares de cozinha e, finalmente, no grupo mais numeroso da "moça para todo o serviço", aquelas que nas famílias menores assumiam sozinhas todo o serviço da casa ou que então, nas famílias maiores, respondiam pelos serviços ordinários[16]. Deveriam ser excluídas como um grupo especial, a minoria das mulheres que trabalhavam como damas da corte.

Os regulamentos da criadagem criaram as bases jurídicas para as relações empregatícias da maioria, ou seja, basicamente da criadagem de média e baixa categoria. O direito da criadagem, já na virada do século, era motivo para inúmeras teses específicas ou comparativas, tanto de juristas como de economistas alemães, normalmente estimuladas

15 Compare Robert & Lisbeth WILBRANDT, Die deutsche Frau im Beruf. Berlin, 1902. p.127.
16 Encontramos freqüentemente outros agrupamentos, embora se reduzam as categorias quando perguntamos pela posição na economia doméstica, pela remuneração e pelo reconhecimento, principalmente das mencionadas, na minha opinião. Compare FÜRTH, col. 87; WILBRANDT & WILBRANDT, p.128 (em correlação com os conceitos estatísticos); LEVY-RATHENAU, J. & WILBRANDT, L. Die deutsche Frau im Beruf; praktische Vorschlaege zür Berufswahl. Berlin, 1906. p.17-25.

pelas discussões públicas em torno da questão. Recentemente foi encontrada uma descrição resumida desses estudos[17], por essa razão limito-me aqui a um breve esboço.

A regulamentação prussiana da criadagem, datada de 1810, é em regra o âmago da questão; a ela se adaptaram individualmente várias regulamentações estatais, enquanto outros estados conservaram direitos mais antigos e criaram novos. Porém, mesmo na Prússia, o regulamento da criadagem não tinha uma validade geral e deveria ser, além de tudo, interpretado como pano de fundo da reforma agrária do início do século XIX, embora servisse à nobreza prussiana como importante instrumento para garantir a mão-de-obra no campo, após as supostas conseqüências da libertação dos camponeses[18]. O regulamento prussiano, à exceção de outros, abrangia uniformemente tanto a criadagem rural como aquela que trabalhava na economia doméstica propriamente dita. Esta diferenciação foi primeiramente realizada através do sistema de decretos. As legislações posteriores, entre elas principalmente a BGB (Constituição Federal)[19], sofreram modificações que não influenciaram o cerne do direito da criadagem ou mesmo suas inúmeras nuances válidas na Alemanha.

O contrato de trabalho da criadagem, que não carecia de uma forma escrita, tinha sua validade quando da aceitação do sinal, pelo período de um ano, sendo silenciosamente prorrogável cada vez por mais um ano, enquanto não rescindido dentro do prazo, normalmente com três meses de antecedência. Na realidade, o contrato de trabalho era um contrato de sujeição completa da força de trabalho do criado por um período determinado de tempo, onde o salário e a alimentação ou mesmo a acomodação eram objetos de acordos mútuos e livres. A criadagem tinha de realizar todas as tarefas que lhe eram ordenadas e tinha de "se sujeitar

---

17 Abro mão de comprovações detalhadas, que além do mais se encontram na nota 1 do trabalho citado. Fundamental é KOENNECKE, O. **Rechtsgeschichte des Gesindes in West-und Süddeutschland.** Marburg, 1912. **(Nova impr. 1970).**
18 No geral, compare TENFELDE, Laedliches Gesinde, p.198, com literatura complementar.
19 Verifique, principalmente, VORMBAUM, p.270 e seg.

à organização e às determinações do senhorio".[20] A legislação prussiana da criadagem previa uma regulamentação do tempo de serviço apenas com respeito à liberação do trabalho para fins de assistência aos cultos religiosos. Poucos eram os deveres do senhorio; o que já não ocorria com os criados, como mostram as determinações que na Prússia regem a demissão sumária ou então o direito de castigar. O senhorio possui uma força de coação abrangente e, caso se fizesse necessário, poderia utilizar-se da polícia para se impor.

No direito da criadagem, a total disparidade jurídica dos contratantes se revela em seus detalhes no sistema de decretos, por exemplo, e nas determinações normativas das queixas; neste ponto devo renunciar a uma exposição mais precisa. Muitas das draconianas restrições à liberdade se explicam tanto pelas normas de comportamento de uma era há muito decorrida, como de forma mais intensiva, pelos concretos interesses comerciais unidos à manutenção da criadagem. Já da promulgação da antiga regulamentação da criadagem, a falta de criados provocou tanto o agravamento casual de suas determinações como também o delituoso trabalho serviçal obrigatório durante a reforma agrária, e neste contexto se situa o espírito econômico desta injustiça no século XIX e início do século XX: as regulamentações da criadagem asseguravam, tanto no campo como na economia doméstica, a mão-de-obra necessária, de maneira comparativamente não problemática, ou seja, rígida, global, contínua e a custos muito baixos. Sobretudo em tempos de prosperidade conjuntural na vida econômica era muito difícil conseguir uma empregada doméstica, o que ocorreu, por exemplo, de modo geral e com poucas interrupções, desde 1895.

Outros motivos, porém, colaboraram para o retrocesso da manutenção da criadagem[21]:

---

20 Regulamentação prussiana da criadagem, 1810 § 73, publicada, entre outros, em GERHARD, p.262-77.
21 Eu transcrevo os números de Hoffmann (HOFFMANN, W.G. **Das Wachstum der deutschen Wirtschaft seit der Mitte des 19. Jahrhundert.** Berlin, 1965. p.172-4, 204-6, 210), devido às estimativas de retrocesso para os anos anteriores à contagem das profissões da estatística do tempo do Império. As informações sobre a procedência dos números são insuficientes, de qualquer forma (p.187), o que foi prontamente criticado (p.ex., B. OTTMÜLLER, p.40). Hoffmann provavelmente incluiu os criados temporários, o que au-

N.º DOS EMPREGADOS DOMÉSTICOS EM ESCALA DE 1000
(IMPÉRIO ALEMÃO)

Ano	Total	% da população	% da população empregadora	do sexo feminino Total	%
1849	1.405	4,0	9,5		
1861	1.411	3,7	8,8		
1871	1.491	3,6	8,6		
1882	1.487	3,3	7,5	1.400	94,2
1895	1.571	3,0	6,7	1.490	94,8
1907	1.581	2,6	5,6	1.430	90,5
1925	1.357	2,2	4,4	1.330	98,0

O secular retrocesso da ocupação na economia doméstica se intensifica extraordinariamente durante a 1.ª Guerra Mundial e no tempo da inflação. Apenas no final dos anos 1930 parece ter havido um novo progresso em números absolutos; após 1945 a categoria "serviço doméstico" retrocedeu até perto do final dos anos 1950 para 2,3% da população de empregados da República Federal da Alemanha. Como as estatísticas de estados isolados mostram, o retrocesso já se manifestou antes de meados do século XIX[22]. A manutenção de criados dentro da Alemanha era por natureza especialmente alta nos estados municipais: em Hamburgo ela alcançava p.ex. (em 1882) 5,7% da população total, enquanto que na Prússia atingia 3,2% e na Baviera, em contrapartida, apenas 1,7%[23] — nestes números se manifesta a

menta consideravelmente os números, enquanto as tendências coincidem. KELLER, p.62 e 75 dá o número exato dos criados na estatística do Império:
1882: 1.324.924 criados = 2,95% da população total
1895: 1.339.316   2,59
1907: 1.264.755   2,05
1925: 1.325.568   (2,10)
1933: 1.218.119   (1,85)
  Os números entre parênteses foram por mim completados. Em 1925, foi modificado o sistema de contagem; os números estão muito altos em comparação aos valores anteriores. Para verificar as modificações antigas do sistema de contagem, examinar Soziale Praxis, v.10, 1900/1901, col. 538, Nota. Números ligeiramente divergentes entre outros, em SCHULZ, p.17; na publicação citada, também p.18, igualmente para a República Federal da Alemanha, de 1949 até 1958; verifique ainda as diversas colocações de Sproll, assim como de ENGELSING, Hausliches Personal, p.235-6.
  22 Para a Prússia, de 1816 até 1861, veja TENFELDE, Laedliches Gesinde, p.209.
  23 Compare BRAUN, L. Die Frauenfrage; ihre geschichtliche Entwicklung und ihre volkswirtschaftliche Seite. Leipzig, 1901. p.242; para 1895, veja SPROLL, p.42-3.

urbanização diferenciada, especialmente nos estados de superfície plana. Há porém necessidade de cautela: um grau maior de urbanização não significa necessariamente um aumento na manutenção de criados. Trata-se muito mais da característica da cidade. Desta forma, numa comparação aproximada para o ano de 1895, o número dos serviçais em vinte e oito grandes cidades do Império Alemão se movimenta de maneira aproximadamente desproporcional em relação ao número dos trabalhadores empregados.[24] Além do mais, por volta do final do século e excetuando os Estados Unidos, a Alemanha ocupava o último lugar em relação a todos os países industrializados da Europa, se analisarmos a parcela dos serviçais em relação à população.[25]

Se quisermos falar de uma especificidade alemã[26], não encontraremos sua explicação nas regulamentações da criadagem que ofereceriam presumivelmente ofertas seguras, mas antes, numa procura menor em virtude de uma classe média pouco definida em comparação com a Inglaterra e a França.

A tendência secular à redução da criadagem, mais acentuada no segmento das empregadas domésticas em relação ao considerável crescimento da atividade assalariada do sexo feminino[27], pode ser explicada, em essência, por dois motivos que se complementam mutuamente quanto ao mercado de trabalho: a aspiração de um emprego mais lucrativo em outras áreas da economia e o êxodo a ela relacionado, assim como a modificação básica que a economia doméstica sofreu

---

24 Compare CONRAD, E. Das Dienstbotenproblem in den nordamerikanischen Staaten und was es uns lehrt. Jena, 1908. Anexo, p.40-2.

25 Para as diferenciações qualitativas, compare a observação 24 do estudo citado de E.CONRAD; encontramos uma comparação numérica em SPROLL, p.243, nota 58 (a porcentagem da população total):

França	6,8	(1881)
Inglaterra e País de Gales	5,5	(1881)
Irlanda	5,1	(1881)
Escócia	4,2	(1881)
Suíça	3,6	(1870)
Itália	3,1	(1880)
Estados Unidos	2,2	(1880, incluindo criadagem rural)

26 Compare KAELBLE, H. Der Mythos von der rapiden Industrialisierung in Deutschland, Geschichte und Gesellschaft, 9:106-18, 1983. Kaelble, baseando-se nos números do crescimento, da modificação do trabalho remunerado e na urbanização, faz muito pouca diferenciação entre a Alemanha e os países vizinhos. Sem querer duvidar destes números, quero antes sublinhar as diferenças no caso da manutenção da criadagem.

27 Informação mais detalhada para 1895, compare GNAUCK-KÜHNE, E. Die deutsche Frau um die Jahrhundertwende; statistische Studie zur Frauenfrage. 2.Aufl. Berlin, 1907. p.84-104.

com o evento da industrialização. Trata-se de dois desenvolvimentos que se complementam mutuamente e que agiram
sobre o mercado de trabalho. Observando primeiramente
este mercado de trabalho, chama-nos a atenção o fato de que,
com exceção dos anos de crise econômica, observa-se sempre
uma falta de mão-de-obra serviçal; apenas nos anos 1920
parece desenhar-se uma maior oferta neste setor, precisamente durante o restabelecimento conjuntural que seguiu a
inflação e a crise de estabilidade econômica.[28] O desenvolvimento do mercado parece dar a outros ofícios um peso
maior, levando-se em consideração as conseqüências da citada aspiração; certamente se devem observar aqui as modificações na composição dos criados segundo a procedência, a
idade e o estado civil. O aumento periódico do número de
serviçais de forma absoluta é prejudicado em virtude do
imenso crescimento paralelo do potencial de mão-de-obra
em relação ao desenvolvimento geral da população e devido
à crescente quota de capacidade de trabalho feminino a partir de 1914.

A longo prazo pode ser igualmente observada uma mudança na economia doméstica, especialmente na decrescente
capacidade de concorrência destas economias como empregadores, apesar da restrição e da regulamentação do mercado pelas determinações jurídicas sobre serviçais. Entre
outros fatores, isto fica bem nítido nas modificações da classe social à que pertence a família mantenedora da criadagem.
Entre 1895 e 1907[29] a manutenção da criadagem teve um pequeno acréscimo nas economias autônomas da indústria, do
comércio e do transporte; em contraposição, ela caiu entre
a economia dos empregados no comércio de 11,3% para 6,8%

    28 Compare KELLER, p.74, com informações sobre o número de empregadas do-
mésticas que procuraram emprego em abril e outubro dos anos entre 1919 e 1929. Cen-
tralizando para o tempo antigo: ENGELSING, R. Der Arbeitsmarkt der Dienstboten im
17.18. und 19. Jahrhundert. In: KELLENBENZ, H., Hrsg. Wirtschaftspolitik und Arbeitsmarkt; Bericht über die. 4. Arbeitstatung der Gesellschaft für Sozial-und Wirtschaftsgeschichte in Wien am 14. und 15. April 1971. München, 1974. p.159-237; entre outras também
p.168, 182. Informações detalhadas sobre os trabalhos mais antigos: STEINBRECHT, B.
Arbeitsverhaltnisse und Organisation der haeuslichen Dienstboten in Bayern. München,
1921. p.15-7. Para informações sobre a emigração, veja Vierteljahreshefte zur Stat.d.Dt.
Reichs, 16:121, 1907.
    29 Comparações em BAEUMER, G. Die Frau in' der Volkswirtschaft und Staatsleben
der Gegenwart, Stuttgart, 1914. p.178-9; mais detalhada em comparação, de 1895 a 1907,
veja SPROLL, p. 75-88.

e na indústria de 10,3% para 5,9% (um serviçal para cada cem empregados) e nas atividades públicas o quadro certamente não era muito diferente. A redução foi bem mais drástica nas economias autônomas da zona rural.

Estes números permitem inferir que principalmente a estrutura e o **status** das economias domésticas médio-burguesas dos micro-proprietários, dos artífices autônomos, dos funcionários públicos, das pessoas cultas e finalmente dos aposentados, foram responsáveis pelo desenvolvimento da manutenção da criadagem. Ainda que o número destas famílias fosse relativamente baixo na sua relação internacional, conforme sugerido anteriormente, mesmo assim era aqui que se concentrava um fator crucial na manutenção da criadagem. Com a promoção de um empregado, modificava-se intensamente a representação de seu **status** no interior da família, e entre os segmentos da alta burguesia como também na pequena nobreza e nos círculos dos funcionários públicos. A economia doméstica entrava cada vez mais em cho-que, causado pelas esperadas despesas de representação e a reais possibilidades financeiras.[30] Assim, enquanto a alta burguesia firmava seu **status**, é bem provável que os empregados recém-promovidos, quase sempre casados com ex-criadas, tinham de renunciar à manutenção da criadagem pois que em inúmeras economias domésticas das categorias mencionadas se fizeram necessárias restrições — um fenômeno que provavelmente reflete de maneira exata as modificações na distribuição relativa das rendas até a 1.ª Guerra Mundial.

Contudo esta interpretação seria superficial, se não levamos em consideração as modificações na estrutura familiar há muito em curso e também as conseqüências da rápida urbanização.[31] Estas economias se tornavam cada vez mais urbanizadas e, de forma muito acentuada, eram também economias domésticas de grandes cidades. Urbanização porém, significa, entre outros fatores, e do nosso ponto de vista em primeira linha, um grau elevado de divisão do trabalho na

    30 Compare RITTER, G.A. & KOCKA, J., Hrsg. **Deutsche Sozialgeschichte; Do**-kumente und Skissen. München, 1974. v.2, p.291, 358.
    31 Consulte agora TEUGEBERG, H.J., Hrsg. **Urbanisierung im 19. und 20. Jahrhun**-dert; historische und geographische Aspekte. Koeln, 1983.

sociedade urbana, e isto significava principalmente desvincular da família atividades ligadas ao abastecimento, limpeza, transporte, educação e administração. "Assim é que os aumentos de salário na pequena classe média não são os únicos responsáveis pela decrescente manutenção da criadagem, mas a totalidade do moderno estilo de vida da economia doméstica da pequena burguesia urbana é que a impele a isto..."[32] O ordenamento espacial das habitações nas grandes cidades, que desviavam sobretudo as pessoas pertencentes à classe média, dependentes de seu salário, de possuir sua casa própria, apontavam para esta mesma direção.

Deve-se também levar em consideração que o limite de natalidade iniciou-se principalmente entre as classes sociais de que se fala aqui.

Não se deve ignorar que a redução gradativa de empregados nas economias pequeno e médio-burguesas oferecia-lhes a oportunidade de intimidade e privacidade[33], uma chance que, apesar de tudo, poderia voltar-se também contra o trabalho serviçal, enquanto seu relacionamento com o senhorio perdia seu caráter patriarcal. Elas se aproximavam de "uma posição híbrida entre um relacionamento patriarcal e interpessoal e um puro relacionamento de trabalho contratual".[34] O senhorio dispensou a relação original que se definia pela disciplina e assistência.

Aqui se tornam bem evidentes as conseqüências da urbanização, reestruturação da família e tendência à redução da criadagem, e seu reflexo nas relações de trabalho. Sem sombra de dúvidas, o retrocesso em si atingiu seu ponto máximo nos anos da Guerra Mundial e da inflação, indo até 1923: por um lado devido aos custos — a redistribuição da renda teve seu efeito creditado de forma relativamente intensa contra os empregados pertencentes à classe média[35] e, por outro lado, também devido à constante falta de pessoal em virtude da guerra, forçando as pequenas e médias eco-

32 BAEUMER, p. 180. Compare também com Margarete Freudenthal. Gestaltwandel der Staedtischen buergerlichen und proletarischen Hauswirtschaft unter bes. Beruecksichtigung des Tipenwandels von Frau und Familie, vornehmlich in Suedwest — Deutschland zwischen 1760 und 1933. 1. Teil Wuerzburg, 1934.
33 Compare melhor com SCHULTE, p.880-1.
34 BAEUMER, p.181.
35 Neste ponto verifique J.KOCKA, Klassengeselischaft im Krieg; deutsche Sozialgeschichte 1914-1918. Goettingen, 1973. p.65 e seg.

nomias domésticas a "desistirem definitivamente da ajuda de empregadas domésticas", passando a optar por diaristas.[36] Também após a guerra, a oferta de mão-de-obra de tempo integral deixou transparecer que a atividade feminina na indústria e nos ofícios era mais lucrativa, apesar da temporária liberação de mão-de-obra feminina em decorrência do desarmamento. Acresça-se o sensível empobrecimento da abastada classe média em seu poder aquisitivo e monetário, motivado pela inflação, empobrecimento este que atingiu de modo especial o segmento dos pensionistas, o qual aumentou sobremaneira até 1914, tornando-os um "proletariado de moradores de vilas" (citação de Thomas Mann), roubando às grandes e abandonadas habitações o seu brilho original[37]. Além do mais, o antigo direito extraordinário dos regulamentos da criadagem perdeu sua validade com a Declaração do Conselho dos Representantes do Povo de 12 de novembro de 1918, consolidada através de uma lei provisória de 4 de março de 1919 e do artigo 178 da Constituição da República de Weimar: desta forma foi eliminado o estado de direito dos 18 regulamentos prussianos e dos demais 25 regulamentos da criadagem ainda vigentes na Alemanha; e as relações jurídicas entre empregadores e empregados passaram a ser regulamentadas pelas determinações respectivas da BGB (Constituição Federal Alemã).[38]

III. PROCEDÊNCIA E ESTRUTURA DAS EMPREGADAS DOMÉSTICAS

Sem sombra de dúvidas, a história das empregadas domésticas fascina em primeiro lugar devido à assimilação de

36 FÜRTH, H. **Der Haushalt vor und nach dem Krieg;** dargestellt an Hand eines mittelbürgerlichen Budgets. Jena, 1922; verifique ainda, entre outros, BRIEFS, **G. Die Hauswirtschaft** im Kriege. Berlin, 1917, sobre o "Erschwerung der Haushhalte" (p.55), "**Mehrbelastung des Haushalts**" (p.60) e "**Dienstbotenmangel**" (p.61). Em contrapartida, com estimativas falhas, BERGER, R. **Die haeuslichen Dienstboten nach dem Kriege;** Dienstbotenvereine. Moenchengladbach, 1916. A este respeito, infelizmente, um tanto lacônico, SPROLL, p.89-90.
37 Fundamental: EULENBURG, F. Die sozialen Wirkunden der Waehrungsverhaeltnisse. **Jahrbuch für Nationaloekonomie und Statistik, 122:**748-94, 1924.
38 Veja RAUSNITZ, J. **Das Recht der Hausangestellten;** germeinverstaendlich dargestellt. 2.Aufl. Berlin, 1925. p.1-9. Sobre os esforços de reforma durante a guerra: DAS RECHT der Organisationen im neuen Deutschland III: das Koalitionsrecht und das Gesinde-und Landarbeiterrecht. Jena, 1917. Sobre as morosas discussões a respeito de um direito dos empregados domésticos nos anos de 1920, veja publicação detalhada de SPROLL, p.111-6.

regulamentos trabalhistas arcaicos numa fase de rápida mudança histórico-social; são as décadas anteriores ao início do século XIX até a Revolução de 1918/19 que fornecem os dados mais interessantes sobre o tema. É também nesta fase da profissão de empregado doméstico que se cristaliza cada vez mais a sua transição de profissão vitalícia de ambos os sexos para uma profissão estritamente feminina. O caráter feminino do trabalho serviçal[39] manifestou-se já no século XVIII; em conjunto com as relações trabalhistas e outras considerações comprováveis, que se unem à procedência regional e social, tal caráter permite afirmar o **status** das empregadas domésticas como a profissão mais importante da época para garantir um bom casamento no futuro.

Ainda no início da primeira metade do século, os serviçais masculinos se desincumbiam de determinadas tarefas especializadas, em sua maior parte, para manter as aparências das economias domésticas; eles recebiam do senhorio o uniforme proposto pelo regulamento prussiano da criadagem e desempenhavam um papel mais importante em relação às serviçais femininas. Ainda em 1819, um terço da criadagem prussiana era do sexo masculino. Esta parcela diminuiu para um pouco mais de 1/5 até 1837 e, em 1861, a estatística prussiana apresentava "um decréscimo considerável dos serviçais masculinos"[40]. Duas décadas mais tarde (1882), a relação era de apenas um serviçal masculino para cada trinta femininos, e mesmo esta parcela continuou a decrescer: em 1907, havia apenas 1,2% de serviçais masculinos no Império Alemão, perfazendo o total de 15.000.[41] Todas as estatísticas regionais ou mesmo locais confirmam este quadro.[42]

Analogamente, houve entre os serviçais um retrocesso da parcela dos casados, pois de 30% com mais de 30 anos em 1882, cerca de 10% eram casados, sendo que estes números se modificaram consideravelmente até 1907. Já a parcela das

39 GERHARD, p.50.
40 Segundo dados de SCHULTZ, p.20; veja também ENGELSING, Haeuslisches Personal, p.231; depois MÜLLER, p.29.
41 Jahrbuch für d.amtl.Statistik d.preuss.Staats, v.2, 1867, p.236, citado por GERHARD, p.50, assim como as tabelas em SPROLL, p.54-64.
42 Compare as indicações da observação 44 para as estruturas etárias; estas estatísticas consideram também, ocasionalmente, o estado civil.

serviçais femininas casadas perfazia em todo o reinado apenas 1,3%, diminuindo gradativamente e atingindo em 1907 o total de 0,7%; elas pertenciam quase que exclusivamente à faixa etária acima dos 30 anos, enquanto se revelava em todo o território uma porcentagem alta de viúvas e separadas, com mais de 50 anos, que certamente procediam do primeiro grupo. Este grupo porém, não chamava a atenção pela sua expressão numérica. Sua porcentagem era de 2,6% em 1907 e, do total comprovado de 31.035, 36,6% eram viúvas ou separadas. No ano de 1925, em virtude da guerra, a profissão tornou-se acentuadamente uma espécie de profissão oportuna para viúvas, como pode ser observado na tabela estrutural abaixo: 3,4% (em contraposição à 1,6% em 1907) das empregadas eram agora viúvas ou separadas.[43]

Tornar-se uma ajudante doméstica — ou melhor, voltar a sê-la era notoriamente algo assim como uma tábua de salvação, especialmente para aquelas viúvas cujos maridos morreram antes de alcançarem o direito a uma aposentadoria, que assegurasse para elas uma sobrevivência digna, ou então uma segurança para a velhice daquelas mulheres de parcos meios de subsistência ou mesmo sem qualquer forma de rendimento. Não subestimando esta função da profissão de empregada doméstica, ela foi dando lugar em termos numéricos, de maneira bem clara, àquela de preparação para o

Grupo etário	De cada 100 empregadas nas faixas etárias da esquerda, a distribuição era:			
	1882	1895	1907	1925
abaixo de 20		44,6	47,2	35,4
20 — 30	83,6	38,7	37,2	43,0
30 — 40		7,8	7,4	10,9
40 — 50	11,5	3,8	4,0	5,3
50 — 60		2,8	2,4	3,3
60 — 70		1,7	1,3	1,7
acima de 70	5,0	0,7	0,4	0,4

43 Segundo a nota 41, citada na tabela de SPROLL.

casamento. Todas as estatísticas locais quanto à idade confirmam o mencionado, como segue:[44]

A aceitação do **status** de empregada doméstica como fase preparatória para o casamento ou mesmo pelo anseio por casar, repousa certamente numa base frágil, enquanto não puder ser claramente precisada a parcela dos grupos etários até 40 anos que deixaram a profissão para casar, para abraçar uma outra profissão ou, finalmente, pediram a conta para em pouco tempo receber mais em outra profissão e assim melhorar o enxoval para o planejado casamento.[45] Ainda assim, outros indícios são a favor desta premissa, tais como, comparações com a estrutura etária das operárias ou a faixa etária média por ocasião do casamento.

Mencione-se também que a profissão de empregada doméstica permanecia sendo a melhor preparação para o casamento daquelas moças que, por terem de trabalhar, não podiam preparar-se na casa paterna ou ainda não tinham condições de freqüentar uma escola de educação para o lar, como era normal para a classe média. Preparação para o casamento — isto também dizia respeito a economizar para fazer o enxoval, quando o orçamento paterno não estava em condições de dá-lo. Pesquisas recentes sobre a estrutura social dos depositantes de poupança comprovam um número extremamente elevado de serviçais entre eles.[46]

Os movimentos migratórios das empregadas domésticas podem ser interpretados também de várias formas como movimentos comprometidos com o objetivo de casamento.

44 Publicação citada acima (sob o verbete Adaptação e Conversão); compare também BRAUN, p.276-7, KELLER, p.44, SCHUL, p.24, BERGER, R. **Die Dienstboten in Baden.** Moenchengladbach, 1915. p.58-9; ainda, SIGERUS, E. **Die Dienstbotenerjebung in Halle** (April 1912-Marz 1913). Halle, 1913. p.29-40. Diss. Halle a.d.S.; STEINBRECHT, p.26; NEHER, O. **Zur Lage der weiblichen Dienstboten in Stuttgart.** 2.Aufl. Ellwangen, 1908. p.7-8. FIACK, A. **Die Weiblichen Dienstboten in München;** eine untersuchung ihrer wirtschaftlichen und soziale Lage nach den amtlichen Erhebungen vom Jahre 1909. München, 1912. p.17-9; MUSSNER, F. **Die Weiblichen Hausdienstboten in München.** München, 1918. p.15-9. Diss. Borna-Leipzig.

45 STEINBRECHT, p.37, publicou uma tabela sobre a profissão dos maridos das empregadas domésticas de Nürnberg, que casaram em 1916. Segundo ela, de 304 empregadas domésticas, 44% casaram com aprendizes de artífices, mas apenas 15% com operários e quase outro tanto com funcionários públicos e, finalmente, quase 9% com um "proprietário", por exemplo, um dono de hospedaria, bar, ou um artífice mestre, mas nunca um acadêmico. Este levantamento apóia a suposição de que o **status** das empregadas domésticas estava acima da das operárias.

46 Compare com DITT, K. Soziale Frage; Sparkassen und Sparverhalten der Bevoelkerung im Raum Bielefeld um die Mitte des 19. Jahrhunderts. In: CONSE, W. & ENGELHARDT, U., Hrsg. Arbeiterexistenz im **19. Jahrhundert;** Lebenstandard und Lebensgestaltung deutscher Arbeiter und Handwerker. Stuttgart, 1981. p.516-38. Tabelas p.526-7.

Quanto mais o tempo passava, tanto mais difícil era obter vagas de empregada doméstica na área rural — o que não ocorria com as vagas de servente. As jovens preferiam o trabalho doméstico mais limpo e mudavam para as cidades, imitando os homens. Ao lado dos fatores de melhor trabalho e salário, e, de maneira geral, as múltiplas perspectivas profissionais, inclusive o **status** de empregada doméstica, a falta de oferta de bons partidos deve ter tido seu papel como motivo central da decisão de migrar. Não foi apenas pelo fato dos jovens mais ambiciosos já terem há muito tomado a iniciativa e assim despovoado as faixas etárias casadouras da zona rural, mas também por as possibilidades de um casamento rural não oferecerem boas perspectivas quanto às esperanças de melhora do **status.** Contudo, há que se diferenciar regionalmente áreas de diferentes estruturas agrárias; desta forma, as regiões de forte conotação médio-burguesas devem ter tido uma parcela menor de migração.

Além disso, um dos aspectos interessantes do movimento migratório das empregadas domésticas é que ele motivou, segundo todas as aparências, novas disparidades nas chances de casamento: a oferta de trabalho era maior principalmente nas capitais e grandes cidades, como Berlim, Munique, Stuttgart ou Dresden, que tinham uma classe média forte, e menor nas emergentes cidades industriais, com uma classe média fraca, que além do mais, mesmo devendo seu crescimento à indústria pesada, tinham pouca possibildade de oferecer trabalho às mulheres. Estas cidades, principalmente nas duas décadas antecedentes ao início da guerra, apresentavam fortes disparidades quanto ao comportamento dos sexos, especialmente nas faixas etárias onde ocorria a migração.[47] O fato de que os trabalhadores não se sentiam atraídos para os locais onde estavam as moças e vice-versa pertencia aos fenômenos desproporcionais da industrialização.

A demanda de empregadas domésticas nas çapitais influenciou grande parte da migração para as cidades, assim

47   Veja o exemplo de Hamborn em TENFELDE, K. Grossstadtjugend in Deutschland vor 1914; ein historisch-demographische Annaeherung. **Vierteljahrschrift für Sozial-und Wirtschaftgeschichte, 69:**182-218, 1982.

como a configuração dos migrantes por idade e sexo. Enquanto, em 1895, um terço da população de Berlim nascera na cidade, o mesmo dizia respeito a apenas uma décima parte das empregadas domésticas. Segundo uma estatística referente aos serviçais de Halle/S., cerca de apenas uma décima parte nascera no perímetro urbano entre 1912/ 13. Neste mesmo quadro, apareceram os resultados de uma estatística sobre serviçais, realizada na maioria das grandes cidades pela Comissão de Proteção às Operárias das Associações Federais das Mulheres Alemãs, publicada por Else Kesten-Conrad em 1910.[48]

Segundo esta estatística, de 690 moças, 12,% nasceram na cidade onde trabalhavam, enquanto 29,4% nasceram em outra cidade, provavelmente menor, e 58% vinham da zona rural. Não é motivo de surpresa que as empregadas domésticas tenham influenciado uma grande parte da migração em si e desta forma também sua estrutura temporal, com os típicos ápices migratórios na primavera e no outono. O mesmo é válido para a flutuação intermunicipal, onde nas mesmas estações do ano se acumulavam as mudanças de emprego.[49] Esta estrutura migratória explicca ao mesmo tempo uma parte do quadro da origem social dos serviçais. Estatísticas a respeito, enquanto disponíveis, repetem uma impressão surpreendente à primeira vista: as empregadas domésticas não eram recrutadas em primeiro lugar das classes urbanas inferiores, entre elas principalmente a dos operários, ou dos "diaristas" da zona rural,* porém muito mais da classe dos artífices, e, numa parcela considerável, também dos campo-neses e dos funcionários públicos de categoria inferior. A mencionada estatística das Associações Federais das Mulheres Alemãs apresenta que, ao serem interrogadas a respeito da profissão do pai, 30,1% mencionaram a de artífice, 24,1% de operário, 17,3% de lavrador, 9,8% jardineiro ou chacreiro

---

48 KESTEN-CONRAD, E. Die Dienstbotenfrage; Erhebungen der Arbeiterinneschutz-kommission des Bundes Deutscher Frauenvereine. **Archiv für Sozialwiss. u.Sozialpolitik,** 31:520-33, 548-9, 1910. Ainda, WILBRANDT, p.131, SIGERUS, p.62-3, MUSSNER, p.29-37.
49 Compare, entre outras, as tabelas migratórias diferenciadas por estações, de D.LANGEWIESCHE. Wanderungsbewegungen in der Hochindustrialisierungsperiode; regionale, interstaedtische und innerstaedtische Mobilitaet in Deutschland 1880-1914. **Vierteljahrschrift für Sozial-und Wirtschaftsgeschichte,** 64:1-40, 1977.
* Equivalente no Brasil aos bóias-frias. NT

e 7,8% funcionário público. Era antes a pequena burguesia dos artífices do que as famílias dos operários que entregavam seus filhos para trabalharem para estranhos. Considerando que a maioria das empregadas domésticas vinha da zona rural, foram então as pequenas e médias famílias de camponeses, assim como de artífices rurais, que contribuíram preponderantemente para a composição da categoria. Este milieu era relativamente estável, pois quase um terço das moças interrogadas, que podiam fornecer dados sobre suas irmãs, mencionaram a mesma profissão.[50] Neste ponto se cruzavam a mentalidade pequeno burguesa e a camponesa: a profissão de empregada doméstica era a escola mais apropriada como fase preparatória para o casamento.[51]

IV. OBSERVAÇÕES FINAIS

O milieu definido por campos de experiência do proletariado, da pequena burguesia e da classe dos camponeses, em sua maioria procedentes da zona rural, era pouco autosuficiente. Não produziu uma consciência própria — embora estivesse numa posição transversal em relação às frentes classistas — por ser encarado como uma fase transitória tanto pelos empregadores como pelos empregados. As parcas possibilidades de comunicação fora do círculo de trabalho e as necessárias relações de sujeição de cunho estritamente pessoal dificultavam seriamente as contribuições para uma conscientização coletiva dos serviçais. Ao que parece, a fragilidade de todas as associações afins deve-se muito mais às problemáticas situações estruturais mencionadas, do que aos regulamentos da criadagem e seus relacionamentos jurídicos de cunho restritivo e autoritário; as poucas associações e representações de classe criadas na virada do século certamente se nutriam da necessidade de lutar contra as ruínas jurí-

50 Segundo KESTEN-CONRAD, p.548-9; compare também STILLICH, p.109, mais detalhadamente MUSSNER, p.37-61. Estes resultados se distanciam consideravelmente das estimativas de ENGELSING, Arbeitsmarkt, p.213-5. Compare também SCHULTE, p.886-8. Verifique ainda nota 45; estas indicações também permitem conclusões de diferenciação do status.
51 KESTEN-CONRAD, p.550: acima de 85% das questionadas não haviam exercido uma profissão até então; compare ainda LEJEUNE, E. Zur Dienstbotenfrage; eine Hausfrau an ihre Schwestern. Berlin, 1897. p.10-1.

dicas deste relacionamento trabalhista. Além disso, tudo ia parar no lixo da convicção político-partidária.

O efeito social mais importante do **status** das empregadas domésticas estava na reprodução e difusão constantes deste **milieu** de uma pequena burguesia dependente, habituada à obediência e ao mesmo tempo tão virtuosamente ordeira, uma pequena burguesia que também se nutria das esperanças de um mundo romanticamente melhor. As serviçais ambicionavam um casamento de categoria superior. Em suas horas de lazer elas preenchiam esta espera com seus sonhos.[52]

DISCUSSÃO*

Horst A. Wessel, Bonn:

O senhor forneceu um bom panorama sobre o desenvolvimento da história dos serviçais e, baseado em informações estatísticas, ilustrou o retrocesso desta profissão. Seu tema, porém, não expõe apenas a questão das empregadas domésticas mas também a das próprias donas-de-casa. O senhor poderia nos fornecer dados sobre as modificações sofridas pelas tarefas domésticas da dona-de-casa em decorrência do desenvolvimento da ocupação mencionado por um lado, e, por outro, em virtude da modernização da economia doméstica, especialmente na cozinha, com relação a seus efeitos de facilitação e economia de trabalho?

Klaus Tenfelde, Munique:

É verdade, senhora Wunder, que neste meu panorama eu tenha omitido uma série de aspectos problemáticos, como a senhora acaba de insinuar. Com certeza seria muito mais interessante escrever uma tese sobre a prostituição ou a criminalidade entre as empregadas domésticas. Eu mesmo salientei o significado da socialização pós-familiar no **status**

52 Compare ENGELSING, Dienstbotenlektüre, p.24; quanto às virtudes, veja, p.ex., KEIDEL, H. **Der perfekt Diener;** Ratgeber für angehende Herrschaftsdiener. München, 1929. p.13 e seg. GORDON, E. **Die Pflichten eines Dienstmaedchens,** oder Das A-B-C des Haushalts. Donauwoerth, 1893. GRAUENHORST, E. **Katechismus für das Haus-und Stubenmaedchen.** Jubilaeums-Ausgabe. Berlin, 1897.
* Por motivos de falha técnica não foram incluídas as duas primeiras perguntas de Heide Wunder e Hermann Schaefer.

das empregadas domésticas, embora não o tenha explorado empiricamente. Quero lembrar, porém, que temos alguns bons trabalhos abordando uma parte destes aspectos problemáticos, como o de Regina Schulte e Dorothee Wierling. Certamente também não há falta de fontes — a **Revista para o combate às doenças venéreas**, onde o tema da prostituição entre as empregadas domésticas é seguidamente abordado, ou mesmo outras estatísticas, iniciando com a de Oskar Stillich, para mencionar algumas. Concordo apenas condicionalmente com o fato de as empregadas domésticas terem tido dificuldades mais acentuadas para se adaptarem ao processo da urbanização. Não se pode esquecer que elas puderam concretizar várias esperanças relacionadas com as perspectivas do **status** transitório. Estas esperanças lhes facilitaram carregar o fardo desta sujeição doméstica, levando em consideração que, à exceção dos famigerados sótãos berlinenses utilizados como dormitórios e outros afins, a situação social das empregadas domésticas, na qual não me detive, deve ter sido satisfatória, de maneira geral. Ela dependia naturalmente, em primeiro lugar, da chefia doméstica do senhorio e esta é uma questão que, infelizmente, foge a qualquer sistematização mais ampla.

Com relação à parcela daquelas mulheres em condições de assumir uma profissão remunerada, concordo basicamente com o Sr. Schäfer; parece-me, porém, que, na virada do século, pudemos observar um pequeno acréscimo, no qual se baseia minha colocação. Quanto à época após 1918/19, iremos constatar um dos fenômenos mais surpreendentes do período pós-guerra — o de que o desarmamento teria coibido temporariamente as vagas alcançadas pelas mulheres. Pelo contrário, o inflacionário florescimento da ocupação estabilizou o trabalho remunerado feminino e, mesmo após o período inflacionário, esta parcela não diminuiu de forma patente. Com certeza, dever-se-ia diferenciar esta impressão geral segundo as profissões específicas.

Certamente mencionei apenas por alto as modificações na economia doméstica, conforme mencionado pelo Sr. Wessel. A automatização invadiu também os lares particulares; assim é que, na virada do século, o fogão a gás modificou fundamentalmente as características do trabalho doméstico. Parece-me, porém, mais importante frisar a propensão para diminuição de empregados nas economias domésticas, principalmente no meio urbano, num processo de contínua urbanização. É fácil reconhecer o quanto as economias domésti cas foram aliviadas do alto grau de divisão e abrangência do trabalho serviçal, cada vez mais comum nas grandes cidades — mencionando apenas os sistemas de água e esgoto, canais e eletricidade. Além do mais, seria um tema interessante pesquisar se este processo de facilitação do trabalho nas economias domésticas não teria sido acelerado também pela falta de mão-de-obra serviçal.

Günter Schulz, Bonn:

Concordo com o senhor no sentido de que os serviçais compunham um grupo populacional com pouca articulação e influência política. Com isto se coloca a questão: quais seriam as forças políticas que, apesar do exposto, influenciaram a condição dos serviçais e finalmente eliminaram as "ruínas" mencionadas pelo senhor? Uma grande parte da burguesia politicamente engajada defendeu a melhoria da condição social dos serviçais com argumentos morais. Minha pergunta é se também os democratas sociais abraçaram esta causa e com que abrangência? O senhor poderia precisar a porcentagem destas forças políticas?

Lothar Burchardt, Konstanz:

Se eu compreendi bem, o senhor mencionou que o número das serviçais femininas teve um acréscimo nos anos 30. Eu estaria interessado no motivo. Como se sabe, apesar de toda a propaganda para o trabalho nas indústrias etc., o número das serviçais femininas na Alemanha permaneceu admiravelmente constante, enquanto por exemplo na Inglaterra, este número diminuiu rapidamente, pois as mulheres foram trabalhar na indústria. Como se explica este fato?

Klaus Tenfelde, Munique:
Não quero tomar posição quanto à última pergunta: meu colega Winkler pode certamente respondê-la. Nesta questão eu me limitei aos dados estatísticos, não incluindo a política nacionalsocialista em contraposição sequer ao trabalho remunerado feminino ou, menos ainda, às empregadas domésticas.

Concordo, de modo restrito, com a afirmação de que as empregadas domésticas tinham pouca articulação própria. E não só porque temos ao alcance uma série de diários das empregadas domésticas, com alguns livros bem impressionantes que vão até a linguagem gestual. Há séculos que periódicos das associações da classe, entre elas **Casa e fogão,** porta-voz das associações católicas de empregadas domésticas, oferecem inúmeras referências, inclusive depoimentos próprios. Além disso, suponho haver ainda nos arquivos locais algumas cartas e protocolos contendo as reivindicações das empregadas domésticas.

Quanto à pergunta sobre quais forças políticas se ocuparam especialmente com a problemática dos serviçais, apontamos, em primeiro lugar, a ala liberal da historicamente recente economia nacional, o mais tardar a partir dos anos 1880. O debate foi caloroso tanto na Associação para Política Social, como na Sociedade para Reforma Social e em outras associações burguesas de reforma, atingindo inúmeras associações de auxílio aos pobres. É claro que, na conservadora Prússia Oriental, não se gostava de abordar o problema, pois no tocante ao direito da criadagem, a questão das empregadas domésticas iria alvoroçar a questão do trabalhador rural. Por isto, temos de supor também interesses econômicos por trás da clara tendência da Câmara dos Deputados prussiana em impedir mudanças na situação jurídica da criadagem. No campo da pesquisa, estamos bem cientes de que encontraremos, na literatura periódica e nas brochuras, queixas e mais queixas contra o insuportável **status** jurídico dos serviçais e de que a eliminação do regulamento vigente da criadagem foi, com certeza, uma das primeiras resoluções do Conselho dos Representantes do Povo, que foi apoiado pela facção da esquerda liberal e por forças da média burguesia.

Ilse Stecker, Essen:

Eu pertenço a uma geração que tinha criados a serviço da economia doméstica. Nos anos 30, o desemprego, em conexão com a crise econômica desempenhou um papel importante na problemática das empregadas domésticas. Os salários eram parcos, mas o relacionamento entre o assim chamado senhorio, uma palavra que não fora usada nem na minha casa paterna ou em meu próprio lar, e as empregadas domésticas era quase sempre muito bom. Quando uma moça partia, levava normalmente seu enxoval e, quando casava, voltava o mais tardar 15 anos depois trazendo sua filha. Isto é, certamente, um indício de que o relacionamento entre empregadas e patroa se baseava numa certa confiança mútua.

Gerda Guttenberg, Frankfurt am Main:

A República de Weimar trouxe relações ordenadas também na questão das empregadas domésticas. Foram regulamentados os horários de trabalho, o período de férias, o trabalho aos domingos, existente então, e as diretrizes das remunerações e pagamento das férias. Apesar disso, o número das empregadas domésticas decresceu rapidamente. Estas só podiam ser mantidas durante os anos da inflação se o senhorio possuísse suficientes meios de vida, como habitação estável e possibilidades de fornecer o vestuário. Justamente nos anos pós-guerra, após uma breve pausa, abriram-se na indústria novas possibilidades para as mulheres, embora com baixa remuneração. As mulheres foram empregadas cada vez mais no lugar dos homens, por salários ínfimos. Com respeito ao acréscimo numérico das empregadas domésticas a partir de 1934, considera-se muito pouco o que o Terceiro Reich planejava e também realizou com o Plano Reinhardt. (No livro de Dörthe Winkler sobre o trabalho feminino no Terceiro Reich falta a diferenciação entre o trabalho prestado por todas as mulheres, quase sempre não remunerado, e o trabalho remunerado, que nunca perfazia mais do que 30% delas). A tencional transição das mulheres para o trabalho doméstico à beira do fogão ocorreu mediante certas condições, sobre as quais quero fazer algumas observações:

1. Toda mulher que preenchia as exigências para um empréstimo com fins de casamento e que colocava sua vaga à disposição podia assumi-la novamente dois anos mais tarde, porque até lá as encomendas de armamento tinham modificado completamente o mercado de trabalho e também porque se constatava que muitas das vagas colocadas à disposição pelas mulheres não eram preenchidas pelos homens por serem pouco atraentes, mal remuneradas ou ambas as coisas.

2. Não foi mencionado um fator bem mais grave — que a manipulação das escolares em fase de consecução do 2.º grau causou uma considerável mudança de classes. Segundo as diretrizes do NSDAP (Nationalsozialistische Deutsche Arbeiterpartei — Partido Nacionalista dos Trabalhadores), somente 1.500 de 10.000 moças podiam, em 1934, freqüentar as universidades. As outras tinham de prestar serviço voluntário para a organização dos depósitos. Também não havia trabalho para aquelas que concluiam os estudos. As ginasianas procedentes de anos com alto índice de natalidade, praticamente, não conseguiam estágios, o que fez com que centenas delas se tornassem ajudantes voluntárias e mão-de-obra barata para os nacional-socialistas, gratas por serem enquadradas em qualquer ocupação.

3. O fato de as empregadas domésticas serem tratadas como "crianças" (Mächen) na linguagem tributária, com abatimentos paralelos na questão dos seguros sociais, fez com que principalmente os líderes do partido dilatassem suas famílias para receber os benefícios tributários gerados através destas "crianças" (Mädchen).

O segundo turno da revolução social ocorreu, em 1939, com a introdução do ano de prestação de serviços domésticos de caráter compulsório. A medida deveria beneficiar principalmente as camponesas. Mas foi aí, entre elas, que a

ação teve apenas sucesso relativo. As moças das áreas urbanas
não tinham condições de exercer o trabalho pesado e as da zona rural já trabalhavam desde os 14 anos no pesado. De qualquer forma, este ano de serviço compulsório era um ponto
de partida do planejado estágio da profissão escolhida. Apenas que as moças deveriam iniciá-lo com este ano de prestação de serviços domésticos, que seria creditado ao estágio
completo. É por isso que donas-de-casa com formação apropriada ou com excelentes qualidades de administração doméstica de lares com crianças até seis anos de idade eram
atraídas para cursos de formação de mestre em economia
doméstica, com o objetivo de poderem ali instruir as moças.
Só assim podemos entender por que até há pouco a formação
das enfermeiras se iniciava com este ano de prestação de
serviços domésticos. As moças que se encontravam neste
período de seu estágio podiam ser mantidas nas famílias com
crianças pequenas, mesmo durante os anos de guerra. Assim
se explicam o alto índice de empregadas domésticas durante
o período total da guerra e também a falta de disponibilidade para a indústria armamentista, onde se emprega-
vam cada vez mais mulheres no oriente da Prússia.

Klaus Tenfelde, Munique:
Agradeço-lhe pelos esclarecimentos. Eles confirmam minha hipótese de que as modificações na política nacionalsocialista, em relação às mulheres, praticamente não partiam
da crise econômica mundial e de suas conseqüências. No tocante a estas últimas, a ocupação das empregadas domésticas permaneceu estável; somente a partir de 1934/35 é que
sofre um acréscimo. Em princípio, concordo com as considerações a respeito das relações de confiança entre empregados e patrões; de qualquer forma não se pode deixar de
reconhecer que tais casos se limitam a fatos isolados.

Hans-Jürgen Teuteberg, Münster:
Ocupando-nos com os problemas das grandes cidades do
século XX, procuramos recentemente averiguar o número
dos serviçais no mercado de trabalho de Münster, baseados,

entre outros fatores, em levantamentos das profissões. Nossa
contagem, para anos entre 1882 e 1907, não deixa entrever
mudanças dramáticas: em 1882, 59,5% da mão-de-obra femi·
nina estava ativa na economia agrária e silvícola; em regime
integral, 26,5% na indústria e na mineração e 7,7% no comércio e nos transportes. Nas várias profissões de prestações
de serviços — infelizmente a estatística abrange aqui profissões diversas na mesma coluna — era apenas 4,3%. No serviço público e nas profissões liberais, encontramos nesta época 2,7% de todas as mulheres atuantes numa profissão. Em
1907, 3,9% estavam ativas na área de prestação de serviços.
Constatam-se, pois, um pequeno decréscimo e poucas modificações neste setor.

Além do mais, Sr. Tenfelde, o senhor apontou, com razão, para o problema de que a formação da empregada doméstica parou inicialmente no tempo, como uma ruína
da época pré-industrial na emergente era industrial. Não se
pode, portanto, deixar de colocar novamente nesta correlação
a questão do patriarcalismo. Somente sob este aspecto é possível analisar de maneira historicamente correta a tão citada
questão serviçal. Deve-se considerar ainda que tínhamos um
excedente de mulheres na Alemanha no século XIX. Muitas
mulheres viúvas ou separadas tinham menos chances que os
homens de conseguir um segundo casamento. A ocupação
serviçal era, pois, a rede captadora destes grupos sociais femininos demograficamente prejudicados.

Jill Stephenson, Edimburgo:

Creio que o primeiro motivo para o acréscimo no número das empregadas domésticas foi a depressão e as con-
cessões tributárias do nazismo, aplicadas pelo Plano Reinhardt em 1933. Mas havia, igualmente, uma propaganda con·
siderável do Terceiro Reich procurando encorajar as mulheres de todas as idades a exercer o trabalho doméstico ou agrícola. De fato, havia vários esquemas de trabalho doméstico:
o ano compulsório de prestação de serviços, com o qual
o esquema de 1938 também se relacionava — era um deles,
mas havia também uma profusão de outros esquemas de tra-

balho. No trabalho prático (estágio), havia igualmente o elemento do treinamento para a economia doméstica.

Em conexão com o ano compulsório de prestação de serviços, que captava as moças a partir dos 14 anos de idade, penso que é válido mencionar que elas eram direcionadas para entrar para o serviço doméstico ou para o trabalho agrícola. Estas moças não estavam especificamente preparadas para trabalhar na indústria de bens de produção — uma fábrica de cigarros não era, por exemplo, considerada como tal. Se elas estavam sendo preparadas para trabalhar, por exemplo, na indústria armamentista, elas não precisavam alistar-se para este ano compulsório de prestação de serviços. Assim, entende-se que o referido "ano" era um artifício para tentar encorajar as moças a entrarem para o trabalho nas fábricas; caso não o fizessem, a sanção viria com a obrigatoriedade do trabalho doméstico ou rural.

Está claro que a maioria das mulheres e das moças tinha receio do trabalho nas fábricas; elas não queriam trabalhar na indústria pesada ou nas fábricas. A questão estava colocada: por que havia tantas empregadas domésticas mesmo durante a guerra, como realmente era o caso, quando a indústria chamava para o trabalho? Um dos fatores é que as próprias mulheres não queriam ir para a indústria. Eu suponho que, apesar de tudo o que se diz a respeito do trabalho doméstico e de quão maçante ele é, uma grande parte das mulheres prefere atualmente esta lida familiar ao horror e perigo do trabalho na fábrica, na indústria armamentista. O último ponto é provavelmente o mais importante e aqui me refiro à Sra. Winkler e a Tim Mason. Era de que o regime estava muito ansioso em manter satisfeita particularmente a classe média — em mantê-la aquém do regime para prevenir uma traição na 2.ª Guerra Mundial, do tipo que se supõe ocorreu na 1.ª Guerra Mundial. Hitler acreditava que houvera traição na 1.ª Guerra Mundial e estava tão ansioso em evitar uma ocorrência similar, que derrubaria o III Reich tal qual acontecera com o II Reich, que desejava manter a população relativamente feliz, de forma que, para todos os efeitos, ela estava aquém do regime. Ele não queria provocar oposição ao seu governo. Era do conhecimento dele que a classe média, principalmente as donas-de-casa, queriam ter criados domésticos. Assim, o que o regime estava preparado para fazer — inclusive através dos esquemas de trabalho — era providenciar criados a ínfimos salários, com o objetivo de assegurar-se de seu poder entre a classe média.

Dörte Winkler, Stegen:

Permito-me criticar sua colocação estrutural que, segundo meu ponto de vista, não abrange certos processos, embora ela seja provavelmente de grande ajuda para abranger um período tão vasto em tão pouco tempo. Eu cito os números da estatística do Império Alemão que publiquei em 1976. Neste ponto preciso contradizer a Sra. Stephenson, pois os algarismos são a favor de que o número de empregados domésticos e também de auxiliares domésticas femininas decresceu continuamente, caindo ainda mais durante a guerra — baseio-me aqui nas estatísticas de 1925/29/33.

Em segundo lugar, o número de operárias e funcionárias cresce continuamente. O número de membros da mesma família que auxiliavam na agricultura também decresceu, quer dizer, as filhas dos camponeses não casavam mais dentro da mesma classe. Elas devem ter ido parar em algum lugar e provavelmente se tornaram operárias. Isto certamente deve ter significado um progresso social, se não material, para elas. Quero contradizer as teses apresentadas aqui, pois, me parece, que o trabalho nas fábricas continha uma relativa liberdade pessoal e social, por exemplo, a independência do controle pessoal do senhorio. Os salários eram certamente mais altos, principalmente quando a operária tinha prática ou talvez atingia uma posição de especialização com esforço próprio. As condições de trabalho, de qualquer forma, não eram piores do que no trabalho doméstico e o tempo de trabalho era provavelmente mais curto — falo agora da República de Weimar. Tinham-se os domingos livres — o que certamente não ocorria muitas vezes com as serviçais e as filhas dos camponeses. Mesmo que as condições de trabalho e os salários das operárias fossem tão precários, a in-

dustrialização progressiva e principalmente a racionalização
a partir de 1925 significaram enfim um progresso, tanto
para as integrantes da família que auxiliavam no trabalho
rural como para as empregadas domésticas. Os filhos dos
camponeses e os funcionários domésticos do sexo masculino
já há muito tinham procurado o trabalho na indústria.

Klaus Tenfelde, Munique:

Concordo cum grano salis com os dados do Sr. Teuteberg, quero, porém, frisar que o retrocesso do trabalho serviçal deve ser analisado como um fenômeno secular. Além
do mais, deve-se considerar o contínuo refinamento do levantamento estatístico, principalmente na questão dos serviçais; quero lembrar, apenas, o problema dos membros da família que auxiliavam nas tarefas gerais. Muitas vezes, as estatísticas locais e regionais são de muita valia e delas me
utilizei com freqüência.

Quero agradecer à Sra. Stephenson por suas colocações
sobre o problema da comparação do status das empregadas
domésticas com o das operárias, o que realmente evitei. Sem
poder justificar melhor aqui e, ao contrário da Sra. Winkler,
sou de opinião que o status das operárias estava abaixo do
das empregadas domésticas. Tudo dependia, afinal, do lugar
onde se trabalhava. Neste ponto se constata que mais da
metade das empregadas domésticas, que na virada do século,
trabalhava, em regra, nas economias domésticas pequeno
até médio-burguesas, com capacidade para apenas um serviçal. O trabalho das empregadas era certamente desagradável
em vários aspectos e não tinha limites de horário; ele se ca-
racterizava também pelo fato de que as empregadas domésticas tinham comparativamente uma grande possibilidade de dispor de seu tempo entre as tarefas domésticas. Quanto à crítica da Sra. Winkler às minhas colocações estruturais, elas têm sua procedência, mas sou da fundamental
convicção de que também outros temas muito importantes
de pesquisa da história da criadagem não podem ter suas
questões completamente resolvidas sem uma exposição das

diretrizes estruturais da existência dos serviçais. Eu jamais abriria mão de situar estes problemas fora da análise de suas estruturas históricas.

REFERÊNCIAS BIBLIOGRÁFICAS

1 ANDREA, A. Dienstmädchen; nach dem Leben erzahlt. **Die Frau, 1:** 360-5, 1893/94.

2 BÄUMER, G. **Die Frau in der Volkswirtschaft und Staatsleben der Gegenwart.** Stuttgart, 1914.

3 BERGER, R. **Die häuslichen Dienstboten nach dem Kriege;** Dienstbotevereine. Mönchengladbach, 1916.

4 ————. **Die Dienstboten in Baden.** Möchengladbach, 1915.

5 BOCK, G. & DUDEN, B. Arbeit aus Liebe — Liebe als Arbeit; zur Entstehung der Hausarbeit im Kapitalismus. In: FRAUEN und Wissenschaft; Beiträge zur Berliner Sommeruniversität der Frauen. Berlin, 1977. p. 118-99.

6 BRAUN, L. **Die Frauenfrage;** ihre geschichtliche Entwicklung und ihre volkswirtschaftliche Seite. Leipzig, 1901.

7 BRIEFS, G. **Die Hauswirthschaft im Kriege.** Berlin, 1917.

8 CONRAD, E. **Das Dienstbotenproblem in den nordamerikanischen Staaten und was es uns lehrt.** Jena, 1908.

9 DASEIN einer Wirtshausmagd: Lena Christ, Erinnerungen einer Überflüssigen. München, 1972.

10 DEUTELMOSER, M. Die "ausgebeutetsten" aller Proletarierinnen; Dienstmädchen in Hamburg vor den Ersten Weltkrieg. In: HERZIG, A. et alii. Hrsg. **Arbeiter in Hamburg.** Hamburg, 1983. p. 319-29.

11 DITT, K. Soziale Frage; Sparkassen und Sparverhalten der Bevölkerung im Raum Bielefeld um die Mitte des 19.Jahrhunderts. In: CONSE, W. & ENGELHARDT, U., Hrsg. **Arbeiterexistenz im 19. Jahrhundert;** Leben-standard und Lebensgestaltung deutscher Arbeiter und Handwerker. Stuttgart, 1981.

12 ENGELSING, R. Der Arbeitsmarkt der Dienstboten im 17. 18.und 19. Jahrhundert. In: KELLENBENZ, H., Hrsg. **Wirtschaftspolitik und Arbeitsmarkt;** Bericht über die 4. Arbeitstatung der Gesellschaft für Sozial — und Wirtschaftsgeschichte in Wien am 14. und 15. April 1971. München, 1974. p. 159-237.

13 ————. Einkommen der Dienstboten in Deutschland zwischen dem 16. und 20. Jahrhundert. **Jahrbuch der Instituts für Deutsche Geschichte,** 2:11-65, 1973.

14 ————. Das hausliche Personal in der Epoche der Industrialisierung. In: ————. **Zur Sozialgeschichte deutscher Mittel — und Unterschichten.** Göttingen, 1973. p. 180-261.

15 ————. Das Vermögen der Dienstboten in Deutschland zwischen dem 17. und 20. Jahrhundert. **Jahrbuch der Instituts für Deutsche Geschichte 3:** 227-56, 1974.

16 EULENBURG, F. Die sozialen Wirkunden der Währungsverhalnisse. **Jahrbuch für Nationalökonomie und Statistik, 122:**748-94, 1924.

17 FIACK, A. **Die Weiblichen Dienstboten in München;** eine Untersuchung ihrer wirtschaftlichen und soziale Lage nach den amtlichen Erhebungen vom Jahre 1909. München, 1912.

18 FÜRTH, H. Beiträge zur Organisation des Arbeitsnachweises für weiblich Hausangestellte. **Der Arbeitsmarkt, 14:**84-91, 1910/11.

19 ————. **Der Haushalt vor und nach dem Krieg;** dargestellt an Hand eines mittelbürgerlichen Budgets. Jena, 1922.

20 GERHARD, U. **Verhältnisse und Verhinderungen; Frauenarbeit, Familia und Rechte der Frauen im 19.Jahrhundert.** Frankfurt, 1978.

21 GLASER, H., Hrsg. **Industriekultur in Nürnberg;** eine deutsche Stadt im Maschinenzeitalter. München, 1980.

22 GNAUCK-KÜHNE, E. **Die deutsche Frau um die Jahrhundertwende;** statistische Studie zur Frauenfrage. 2.Aufl. Berlin, 1907.

23 GORDON, E. **Die Pflichtem eines Dienstmädchens,** oder Das A-B-C des Haushalts. Donauwörth, 1893.

24 GRAVENHORST, E. **Katechismus für das Haus — und Stubenmädchen.** Jubiläums-Augs. Berlin, 1897.

25 HOFFMANN, W.G. **Das Wachstum der deutschen Wirtschaft seit der Mitte des 19. Jahrhundert.** Berlin, 1965.

26 KAELBLE, H. Der Mythos von der rapiden Industrialisierung in Deutschland. **Geschichte und Gesellschaft, 9:**106-18, 1983.

27 KEIDEL, H. **Der perfekt Diener;** Ratgeber für angehende Herrschaftsdiener. München, 1929.

28 KELLER, G. **Hausgehilfin und Hausflucht;** ein soziales Problem von gestern und heute. Dortmund, 1950.

29 KESTEN-CONRAD, E. Die Dienstbotenfrage; Erhebungen der Arbeiterinnenschutzkommission des Bundes Deutscher Frauenvereine. **Archiv für Sozialwiss. u.Sozialpolitik, 31:**520-33, 548-9, 1910.

30 KITTLER, G. **Hausarbeit;** zur Geschichte einer "Natur-Ressource". München, 1980.

31 KOCKA, J. **Klassengesellschaft im Krieg;** deutsche Sozialgeschichte 1914-1918. Göttingen, 1973.

32 KÖNNECKE, O. **Rechtgeschichte des Gesindes in West — und Süddeutschland.** Marburg, 1912.

33 LANGEWIESCHE, D. Wanderumgsbewegungen in der Hochindustrialisierungsperiode; regionale, interstädtische und innerstäd-

tische Mobilität in Deutschland 1880-1914. **Vierteljahrschrift für Sozial — und Wirtschaftgeschichte,** 64:1-40, 1977.

34 LEJEUNE, E. **Zur Dienstbotenfrage;** ein Hausfrau an ihre schwestern. Berlin, 1897.

35 LEVY-RATHENAU, J. & WILBRANDT, L. **Die deutsch Frau im Beruf;** praktische Vorschläge zür Berufswahl. Berlin, 1906.

36 LÖBE, W. **Das Dienstbotenwesen unserer Tage,** oder Was hat zu geschechen; um in jeder Beziehung gute Dienstboten heranzuziehen? Leipzig, 1855.

37 MÜLLER, H. **Dienstbare Geister;** Leben und Arbeitswelt städtischer Dienstboten. Berlin, 1981.

38 MUSSNER, F. **Die weiblichen Hausdienstboten in München.** München, 1918.

39 NEHER, O. **Zur Lage der weiblichen Dienstboten in Stuttgart.** 2. Aufl. Ellwangen, 1908.

40 OTTMÜLLER, U. **Die Dienstbotenfrage;** zur Sozialgeschichte der doppelten Ausnutzung von Dienstmädchen im deutschen Kaiserreich. Münster, 1978.

41 RAUSNITZ, J. **Das Recht der Hausangestellten;** germeinverständlich dargestellt. 2.Aufl. Berlin, 1925.

42 DAS RECHT der Organisationen im neuen Deutschland III: das Koalitionsrecht und das Gesinde und Landarbeiterrecht. Jena, 1917.

43 RIEHL, W.R. Der Vierte Stand. **Deutsche Vierteljahrs Schrift,** 4:256, 1850.

44 RITTER, G.A. & KOCKA, J., Hrsg. **Deutsche Sozialgeschichte; Dokumente und Skissen.** München, 1974.

45 RUPPERT, W., Hrsg. **Lebengeschichten;** zur deutschen Sozialgeschichte 1850-1950. Opladen, 1980.

46 SCHULTE, R. Dienstmädchen im herrschaftlichen Haushalt; zur Gensse ihrer Sozialpsychologie. **Zeitschrift fur bayer. Landesgesch.,** 41:879-920, 1978.

47 SCHULZ, S. **Die Entwicklung der Hausgehilfinnen-Organisationen in Deutschland.** Tübingen, 1961. Wirtschaftswiss. Diss.

48 SIEDER, R. Hausarbeit oder: die "andere Seite" der Lohnarbeit. **Beiträge zur historischen Sozialkunde,** 11:90-7, 1981.

49 SIGERUS, E. **Die Dienstbotenerjebung in Halle** (April 1912-Marz 1913). Halle, 1913. Diss.Halle a.d.S.

50 SPROLL, H. **Die sozio-ökonomische Struktur von häuslichen Dienstboten und Hausangestellten in Baden im 19. und 20. Jahrhundert.** Frankfurt, 1977.

51 STEINBRECHT, B. **Arbeitsverhaltnisse und Organisation der häuslichen Diesntboten in Bayern.** München, 1921.

52 STILLICH, O. **Du Lage der Weiblichen Dienstboten in Berlin.** Berlin, 1902.

53 TENFELDE, K. Grosstadtjugend in Deutschland vor 1914; ein historisch-demographische Annäherung. **Vierteljahrschrift für Sozial und Wirtschaftgeschichte, 69**:182-218, 1982.

54 ―――――. Ländliches Gesinde in Preussen; Gesinderecht und Gesindestatistik 1810 bis 1861. **Archiv für Sozialgeschichte, 19**:189-229, 1979.

55 ―――――. Schwierigkeiten mit dem Alltag. **Geschichte und Gesellschaft, 10**:376-94, 1984.

56 TEUGEBERG, H.J., Hrsg. **Urbanisierung im 19. und 20. Jahrhundert**; historische und geographische Aspekte. Köln, 1983.

57 TREFZ, F. **Das Wirtsgewerbe in München**; eine wirtschaftliche und soziale Studie. Stuttgart, 1899.

58 VIERSBECK, D. **Erlebnisse eines Hamburger Dienstmädchens.** München, 1910.

59 VORMBAUM, T. **Politik und Gesinderecht im 19.Jahrhundert** (vornehmlich in Preussen 1819-1919). Berlin, 1980.

60 WIERLING, D. Ich habe meine Arbeit gemacht ― was wollt ihr mehr? Dienstmädchen im Städtischen Haushalt der Jahrhundertwende. In: HAUSEN, K., Hrsg. **Frauen suchen ihre Geschichte**; historische Studien zum 19.und 20. Jahrhundert. München, 1983. p.144-71.

61 ―――――. Vom Mädchen zum Dienstmädchen; kindliche Socialisation und Beruf im Kaiserreich: In: BERGAMNN, K. & SCHÖRKEN, R., Hrsg. **Geschichte im Alltag-Alltag in der Geschichte.** Düsseldorf, 1982.

62 WILBRANDT, R. & WILBRANDT, L. **Die deutsche Frau im Beruf.** Berlin, 1902.

TEORIA DA HISTÓRIA

O CONTEÚDO TEMPORAL DA NARRATIVA HISTÓRICA *

JERSY TOPOLSKI
Professor da Universidade da Posnânia, Polônia.

RESUMO

Neste artigo o autor retoma o debate sobre o conteúdo temporal da narrativa histórica, propondo novos modelos para o desenvolvimento da consciência histórica.

Depois de analisar os diferentes tipos de tempo presentes na pesquisa científica acaba por distinguir quatro categorias de tempo na narrativa histórica, onde estão implícitas as determinantes espaço-temporais: o tempo dos anais, o tempo do cronista, o tempo histórico prospectivo e, finalmente, o tempo histórico retro-prospectivo. Salientando que na narrativa histórica pode haver, e geralmente há, uma combinação dos gêneros de tempo mencionados, mas que é possível privilegiar um certo gênero de tempo em programas metodológicos definidos. Distingue duas grandes orientações metodológicas que se manifestam nos textos históricos pela atitude diferenciada dos autores com relação ao tempo, desenvolvidas pelos autores de maneira consciente ou não: a orientação tradicional, factual ou positivista e a orientação que se intitula teórica. Nesta última pode observar os diversos esforços para ir além dos fatos visíveis, passando pelo método dos modelos e a tendência à quantificação, que procuram resgatar os processos das oscilações, das relações permanentes. Mas, apesar do objetivo comum que caracteriza essa linha — o conhecimento dos níveis mais profundos do processo histórico, a concepção marxista apresenta sua originalidade no princípio metodológico do "historicismo e do realismo" que "assegura uma análise integral do processo histórico", privilegiando o tempo histórico retro-prospectivo.

• Tradução de **Márcia Elisa de Campos Graf** do original em língua francesa (inédito).

I

As pesquisas concernentes ao desenvolvimento da consciência histórica evidenciam a dificuldade de dominar o conteúdo temporal da narrativa histórica e ao mesmo tempo do passado. Admite-se que esse conteúdo é muito complexo ou que esse conteúdo deve ser muito complexo devido aos obstáculos que o fator tempo cria, mas não se confrontam essas conclusões com o estudo da narrativa histórica do ponto de vista de sua estrutura temporal.

Parece que, para o estudo da compreensão do tempo na educação históricac, é necessário levar em conta a própria análise da narrativa histórica. Poderemos assim propor novos modelos do desenvolvimento da consciência histórica e talvez compreender melhor esse desenvolvimento ou ao menos propor os novos instrumentos de conceituação da análise.

O estudo da estrutura temporal da narrativa histórica resgata uma diversidade insuspeitável dos tipos de tempo utilizados pelos historiadores. Tomamos como ponto de partida dois critérios de divisão. Podemos chamar o primeiro de "físico", pois ele é concernente ao tempo como categoria física inseparável, assim como o espaço, da existência da matéria, e o segundo de "narrativo" porque ele reflete os métodos de escrita da história.

Do ponto de vista "físico", podem-se distinguir três gêneros de tempo na narrativa histórica. De início o tempo em geral, isto é, o tempo no sentido da linha temporal ilimitada, o tempo "como tal". Se, por exemplo, pergunto: "O que é o tempo?", é justamente nesse tempo em geral que penso. Se dissermos que o tempo não é uma categoria a priori do pensamento, é sobre esse tempo que pensaremos. Esse tempo é evidentemente onipresente e contém toda a realidade, pois ela é inseparável dele.

O segundo tipo de tempo, do ponto de vista do critério "físico", é habitualmente chamado de tempo da duração.

O terceiro tipo é o tempo considerado no sentido de um certo intervalo sobre a flecha do tempo, ele é pontual.

A diferença que existe entre o tempo da duração e o tempo pontual é evidente. Os dois períodos diferentes podem ter a mesma duração; assim, o tempo decorrido entre o 1.º e o 30 de setembro de 1500 e o tempo do 1.º ao 30 de setembro de 1974 têm a mesma duração, ainda que os períodos colocados sobre a flecha do tempo sejam diferentes.

Refletindo sobre o papel que esses três gêneros de tempo têm na pesquisa científica, chega-se rapidamente à conclusão de que existem diferenças entre as disciplinas particulares, desse ponto de vista. Essas diferenças, em princípio, não são concernentes ao primeiro gênero definido, pois todas as disciplinas empíricas estão baseadas sobre a realidade da qual o tempo é o atributo inseparável. A questão se coloca diferentemente para os outros gêneros de tempo.

Muitas ciências, sobretudo as ciências naturais, se ocupam essencialmente do tempo da duração. Um físico ou um químicco se atêm aos acontecimentos que se desenvolvem em um tempo determinado e em um lugar preciso, portanto, geralmente, eles não se interessam por essa indicação temporal. Ao contrário, o que interessa ao físico ou ao químico é a duração do processo estudado, como a duração de uma reação química.

Outras ciências se interessam sobretudo pelo tempo que está situado sobre a flecha do tempo e que engloba as noções do passado, do presente e do futuro. São as ciências sociais e, entre as ciências naturais, aquelas que estudam os processos de desenvolvimento do mundo da natureza como a geologia, a paleografia, a astronomia, a cosmologia, etc... Naturalmente, neste grupo estão incluídas as Ciências Humanas.

Sem nenhuma dúvida, a História é uma disciplina que está ligada de uma maneira comparativamente muito forte ao tempo datado. A datação é inseparável da tarefa do historiador, ao menos se se trata da História na forma sob a qual ela foi produzida até nossos dias, pois a datação é a localização temporal dos fatos históricos. Esta localização pode ser mais ou menos precisa e às vezes, por necessidade, muito geral. Mas ela está sempre ligada à flecha do tempo que corre do passado ao futuro.

Nós não sabemos precisamente quando começa e quando termina a "Renascença" ou o "século das luzes", mas isso não significa, entretanto, que nos falte um elemento do tempo datado na descrição desses fatos históricos. Não se sabe exatamente quando teve lugar a "Guerra de Tróia", mas hoje os historiadores se apóiam sobre as tradições gregas e sobre as descobertas arqueológicas datando esta guerra entre 1193 e 1183 a.C. e, assim fazendo, colocam-na hipoteticamente so· bre a escala cronológica.

II

O tempo datado atribuído à narração histórica era, em geral, compreendido de maneira estreita, isto é, simplesmente como um coeficiente temporal das proposições históricas. Entretanto, o tempo datado, isto é, o tempo compreendido seja como um momento definido, seja como um fragmento localizado sobre a escala cronológica, se manifesta na narração histórica sob algumas formas que nós iremos caracterizar resumidamente.

Trata-se em primeiro lugar do tempo datado que podemos chamar de tempo dos anais. Ele se manifesta nas proposições históricas em que o conteúdo ou as dimensões temporais não ultrapassam as dimensões temporais do fato histórico descrito, ou interpretado, por essas proposições. Este tempo é característico das proposições do tipo:

— "965. **Dambrowka ad Mesconem venit**", quer dizer, anais da Pequena Polônia. Assim como para certas proposições que podemos encontrar em trabalhos históricos, como:

— "Em 1420, o rei Henrique V, pelo tratado de Troyes, foi designado para sucessor do trono da França".

— "No início dos anos 60 do século XIX, Zieleniewki pôs em marcha em Cracóvia a produção de semeadeiras construídas segundo modelos escoceses".

Observa-se facilmente que a dimensão do tempo "compreendido" nessas proposições é, falando de maneira meta·

fórica, bem plana. O autor dos anais anota os acontecimen·
tos dos quais ele não conhece o seguimento, como alguém
que não poderia estudar um fato de uma certa perspectiva
temporal e que não colocaria na descrição o conhecimento
dos acontecimentos do passado se reportando ao fato escri-
to. A seguir o esquema que reflete nossa idéia.

O TEMPO DOS ANAIS

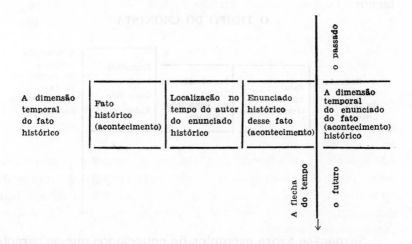

Naturalmente, esta "suspensão" do conhecimento do
passado é idealizada. Ela é característica de um autor que
podemos chamar de "analista ideal". Assim, como podemos
observar pelo esquema, a dimensão temporal de um fato
descrito e a do enunciado desse fato são iguais. O autor anota os acontecimentos "planamente", isto é, na seqüência em
que ocorrem.

O Analista Ideal não enriquece de modo algum a descrição do fato pelo conhecimento de outros fatos ocorridos
na mesma época, mas em outro lugar.

O segundo gênero do tempo datado que encontramos na
narrativa histórica pode ser chamado de tempo do cronista,
pois é típico dos autores de crônicas. O cronista, contraria-
mente ao autor dos anais, não se restringe somente à descrição pois acrescenta seu próprio conhecimento dos acon-

tecimentos aos fatos descritos. Ele dá à sua descrição uma dimensão temporal mais profunda. Trata-se aqui também de um "Cronista Ideal". Em seu caso, o alargamento da dimensão temporal da descrição de um fato, em relação à dimensão temporal desse fato, toma um caráter retrospectivo.

O esquema seguinte resume esta situação, colocando em evidência a dimensão da relação histórica que é maior que a dimensão temporal do fato à qual se refere a relação:

O TEMPO DO CRONISTA

A dimensão temporal do fato histórico	Fato histórico (acontecimento)	Localização no tempo do enunciado histórico	Enunciado histórico desse fato histórico	A dimensão temporal do enunciado do fato (acontecimento histórico)

Flecha do tempo ↓

Seguem-se agora exemplos de enunciados que se caracterizam por um aprofundamento retrospectivo no tempo, da seguinte maneira:

— "Até a Grande Dieta, o Estado polonês não se estendeu ao estrangeiro como o fizeram outros Estados desse tempo".

— "A Guerra dos Trinta Anos foi em sua gênese a renovação da ofensiva da Grande Reação Católica, à qual a Inglaterra e a Holanda haviam posto fim no tempo de Felipe II".

A primeira dessas proposições poderia ter sido escrita por um cronista após a Grande Dieta ou mesmo durante a Dieta, admitindo-se que ele conhecia a história dos débitos do Estado.

A segunda proposição poderia ter sido formulada após a Guerra dos Trinta Anos, mas o autor devia conhecer certos fatos anteriores. Como os leitores sem dúvida observaram, trata-se de proposições extraídas de trabalhos históricos do nosso tempo. Poderíamos também tê-las tomado das crônicas originais. Como a crônica da Grande Polônia no século XIV, onde se pode ler:

— "Após a morte do rei Casimiro o Monge ou o Renovador, foi Boleslas o Temerário quem tomou o poder real... uma vez coroado ele pensou em se mostrar corajoso como havia sido Boleslas o Grande, rei da Polônia, seu bisavô e preferiu as dificuldades da guerra às comodidades e à tranquilidade. Ele concentrou seus esforços na reconstituição das fronteiras da Polônia que o rei Boleslas havia estabelecido e que seus sucessores perderam".

A noção de tempo do cronista indica que esse tipo de relação temporal é acessível, como já foi observado, a um autor que desenvolve uma reflexão sobre os fatos históricos, mas que não sabe o que se passará após o fato que ele registrou.

A terceira forma de tempo datado encontrado na narrativa histórica não pode ser caracterizada por referência ao cronista. Nós a encontramos somente quando, na descrição de um fato histórico, levamos em consideração o conhecimento do que se passou após o fato, isto é, quando estudamos o fato por uma perspectiva temporal.

O esquema seguinte mostra bem o alargamento "para o futuro" da dimensão temporal do fragmento dado da narrativa histórica:

TEMPO HISTÓRICO

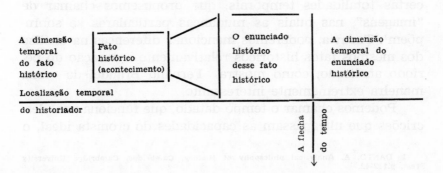

Parece então que esta perspectiva que permite colocar em movimento um conhecimento dos resultados do fato estudado é um dos principais fatores que distingue o relato do cronista da narração histórica científica, isto é, a crônica, da história. Eis aí também o que distingue a História das outras Ciências Sociais. Um cronista não poderá escrever uma proposição tão simples como esta:

— "A 1.º de setembro de 1939, começou a segunda guerra mundial", porque ele nada sabe sobre os eventos subseqüentes. Para isso ele deveria incluir um elemento temporal que estivesse compreendido no período que se seguiu ao fato analisado. A seguir, exemplos desse tipo de frase retirados de diferentes trabalhos históricos:

— "Durante o reinado de Henrique VII (1458-1500), a organização econômica do país quase não se diferia da do tempo de Wiclif, mas após a morte de Henrique VIII, que havia vivido uma longa vida cheia de pecados, são percebidos certos episódios que deviam caracterizar o país até o aparecimento das máquinas a vapor; a extensão colonial ainda era um fator latente e as primeiras tentativas não começaram senão quarenta anos mais tarde".

Nesse fragmento, a situação econômica da Inglaterra durante o reinado de Henrique VII é caracterizada, mas nessa caracterização é incorporado o conhecimento dos períodos posteriores. A influência desse conhecimento não é concernente apenas à frases particulares mas à integralidade da narração histórica.

Diz A. Danto que o historiador "organiza o passado" em certas totalidades temporais, que propusemos chamar de "imagens", nas quais as mudanças particulares se sobrepõem[1]. Todavia, poderemos mencionar diferenças na análise dos mesmos fatos históricos relativamente à duração do período analisado, como mostra Fernand Braudel de uma maneira extremamente interessante.

Podemos chamar o tempo datado, que funciona nas descrições que ultrapassam as capacidades do cronista ideal, o

---

1 DANTO, A. **Analytical philosophy of History**. **Cambridge,** Cambridge University Press, p.112-42.

"tempo histórico". Ele se manifesta sob duas formas: seja como o tempo aparecendo no futuro além do fato descrito, seja em permanência simultânea, considerando o tempo passado em relação ao fato descrito. Nós batizaremos a primeira forma "tempo histórico prospectivo" e a segunda "tempo histórico retro-prospectivo".

No total, distinguimos na narração histórica as seguintes categorias de tempo:

1. o tempo dos anais
2. o tempo do cronista
3. o tempo histórico prospectivo
4. o tempo histórico retro-prospectivo.

III

A narração histórica é, pois, uma mistura de frases utilizando todos os gêneros de tempo que mencionamos. Tomemos um texto histórico qualquer, mas mais desenvolvido que os exemplos precedentes e analisemo-lo desse ponto de vista. Segue aqui um fragmento do trabalho de Pierre Gaxote, "A Revolução Francesa":

1. Dumouriez e os políticos da Gironda imaginavam que iriam conduzir uma guerra segundo a fórmula clássica da luta contra a Casa da Áustria.
2. Também gozariam antecipadamente da aliança com a Prússia e da neutralidade benevolente da Inglaterra.
3. Por um momento mesmo, eles pensaram em recorrer à velha receita das manobras orientais: a invasão da Hungria pelos Turcos.
4. Era engajar-se completamente.
5. Se o pretexto da guerra era o Antigo Regime, a guerra era bem revolucionária.
6. "É necessário declarar guerra aos reis e paz às nações", gritou Merlin de Thionville no momento do voto.
7. É todo o programa da propaganda armada: a guerra indefinida para a revolução universal.
8. Os gabinetes não se enganaram.

9. Em Londres, o enviado francês Talleyrand foi despacha-
do secamente.

10. Em Berlim, o rei Frederico-Guilherme fez executar o
tratado de 7 de fevereiro e se uniu ao Imperador[2].

O próprio conteúdo temporal desse fragmento que descreve os eventos é bem diferenciado. Encontramos frases
contendo o tempo dos anais (6,9,10), do cronista (7,8), o
tempo histórico prospectivo (2) e o tempo histórico retrospectivo (1,3,4,5). Em cada um desses casos notamos que o
historiador deve colocar em movimento seja o conhecimento do fato descrito, seja o conhecimento dos fatos antecedem-
tes ou subseqüentes, seja o conhecimento dos fatos antecedem-
tes e dos fatos subseqüentes ao mesmo tempo.

Na "imagem" citada, não há exemplos do tempo datado
da duração. Nós os encontraremos em outros fragmentos do
mesmo livro:

1. Luís XIV acabara de fechar os olhos e as agitações re-
   nasceram entre aqueles que, por suas posições, eram adversários natos do poder real: os Grandes e os corpos privilegiados.

2. Fortes por si mesmos, eles se acomodam muito melhor
   a um estado semi-anarquista, onde eles desempenham o
   papel de chefes independentes, do que a uma autoridade
   única e forte.

3. Liberados da vigilância real, eles se lançaram a tudo o
   que havia sido interditado no reinado precedente e ado-
   taram com satisfação as idéias de liberdade que começa-
   vam a circular abertamente".

Nesse fragmento as frases descrevem certos estados de
coisas que são repetidos, formando um processo (o renas-
cimento dos movimentos, a adaptação gradual ao estado de
semi-anarquia, a circulação das idéias de liberdade). Podemos notar, analisando este fragmento, que o tempo datado
da duração pode se manifestar em uma narração histórica
sob diferentes formas, por exemplo, nas frases 1 e 3 onde o
autor, descrevendo o estado das coisas que tiveram lugar em

2 GAXOTE, P. La revolution française. Paris, 1962. p.234.

um tempo dado, também leva em consideração o estado de
coisas antecedentes. Assim, ele fala daqueles que haviam
sido os adversários clássicos do poder real e que aproveita-
vam-se então daquilo que o rei havia proibido anteriormente.
Podemos chamar esse tempo datado o tempo da duração
no sentido do cronista. Então, os enunciados históricos que
utilizam o tempo da duração podem ser caracterizados pela
dimensão temporal, apesar de permanecerem bem diferenciados, indo do tempo datado da duração no sentido do cronista ao tempo datado da duração no sentido teórico.

IV

Embora a narração histórica nos pareça ser, no que con-
cerne a seu conteúdo temporal, um verdadeiro **mosaico, é**
evidente que podemos ligar a predileção por certos gêneros
de tempo a programas metodológicos definidos.

A análise dos textos, desse ponto de vista, nos parece
muito importante. Em suas declarações metodológicas, os
historiadores podem ser muito rigorosos, enquanto que sua
prática pode dar, e dá muito freqüentemente, a prova de
uma metodologia tradicional. Eles produzem textos que não
ultrapassam a superfície e onde os enunciados teóricos não
têm senão um papel decorativo.

Gostaríamos de distinguir duas grandes orientações metodológicas que se manifestam nos textos dos historiadores
pela atitude diferenciada de seus autores com relação ao
tempo:

1. a orientação tradicional, factual ou positivista

2. a orientação teórica

Em cada uma dessas duas orientações podemos, evidentemente, encontrar diferentes concepções metodológicas, desenvolvidas pelos historiadores de maneira consciente ou somente realizadas de maneira prática. A diferença mais fundamental entre a orientação tradicional e a orientação teórica na narração histórica talvez possa ser reduzida ao fato
de que a primeira ses limita ao nível factual enquanto a segunda procura operar nos níveis mais profundos para res-

gatar os fatores, as forças ou as estruturas determinantes do processo histórico. A história tradicional, que podemos também chamar de história factográfica, varia segundo outros critérios que não abordamos aqui senão do ponto de vista das diferentes proporções de uso dos diferentes gêneros de tempo na narração histórica. São, antes de tudo, o tempo dos anais e o tempo do cronista que criam a construção temporal da narração factual. Isso não significa que os historiadores aos quais atribuimos a realização da história tradicional não se sirvam de um tempo histórico de dimensão mais larga, o tempo prospectivo e retro-prospectivo, mas que não é senão uma extensão temporal do nível factual. Nesse caso, o historiador faz uso de seu conhecimento dos fatos que precederam ou fatos que são posteriores ao estado de coisas que ele descreve, ele o faz por acréscimo, freqüente-mente, de uma maneira metafísica. Assim, se ele ultrapassa os limites da crônica, ele dá somente um primeiro passo em direção à história que só realiza a união entre as tarefas históricas e teóricas na busca do passado.

As possibilidades de concepções metodológicas que podemos ligar à orientação teórica do estudo histórico são mais variadas que as oferecidas pela história factual. A semelhança que as une é puramente formal. Todas elas têm por objetivo o conhecimento dos níveis mais profundos do processo histórico, da existência humana ou do ser humano, pelo abandono completo ou parcial entre nós do uso do tempo simples datado, pelo tempo da duração concernente aos fatos, às relações, que se repetem, embora os métodos de trabalho e a concepção global do passado e do homem possam até ser contraditórias. Resulta, todavia, dessa semelhança que, do ponto de vista de seu conteúdo temporal, a narração histórica que busca ultrapassar o nível factual torna-se menos "densa" estendendo a influência do anti-historicismo radical.

Podemos observar diversos esforços para ir além dos fatos visíveis. Em primeiro lugar a tendência expressa pelo método dos modelos, isto é, pela busca de relações e de fatores essenciais ao processo histórico. Igualmente a tendência à quantificação, estreitamente ligada à precedente, que por seu agrupamento dos fatos individuais pode resgatar os processos das oscilações, das relações essenciais. Dentro dessa orientação metodológica podemos citar, para não retornar demais, os trabalhos de Heri Beer, de Henri See, depois de Lucien Febvre, de Marc Bloch, de Fernand Braudel e de toda a Escola dos Annales que analisa as forças e as formas do processo histórico sem perder de vista o próprio processo. Podemos ainda indicar entre as outras concepções desenvolvidas, o historiador que se caracteriza por uma tendência ao estudo das civilizações e das culturas, como Toynbee, ou das regularidades (modelos) do comportamento dos indivíduos. Os trabalhos influenciados pelo pensamento psicanalítico de Freud e o pensamento neofreudiano nos conduzem por uma direção diferente, para a busca da explicação do mundo pelo inconsciente.

A concepção marxista também tem por objetivo a compreensão dos níveis mais profundos do processo histórico. Todavia, esse pensamento tem muito em comum com algumas das concepções que acabamos de mencionar, notadamente, com o método dos modelos e a da quantificação. A concepção marxista inclui também os esforços para analisar integralmente o processo histórico, para estudar as mudanças de longa duração e os modelos de comportamento dos indivíduos em diversas épocas e em espaços diversos. Todavia, existem alguns traços que, do ponto de vista metodológico, dão ao marxismo seu aspecto original.

Esta originalidade reside antes de tudo no princípio do historicismo metodológico. O princípio que, evidentemente, encontra suas raízes na teoria marxista do processo histórico, que não abordaremos aqui, consiste em dar prioridade às pesquisas das relações as mais profundas e dos mecanismos do desenvolvimento que dizem respeito a uma época histórica determinada por um modo de produção. Trata-se, pois, de uma totalidade estrutural dinâmica que se caracteriza por suas próprias regularidades e seu próprio mecanismo de desenvolvimento. Não resulta senão que a pesquisa histórica das invariáveis válidas para toda a história tem somente um valor explicativo muito medíocre. O processo histórico é contínuo, pois as épocas e os modos de produção se sucedem e é impossível explicar essas mudanças sem uma perspectiva histórica. Mas, ao mesmo tempo, o sistema dos fatores essenciais e secundários do processo histórico muda de tal maneira que podemos tratar de épocas, do ponto de vista cronológico, relativamente distantes. Temos então cortes que devem ser levados em consideração se não quisermos permanecer ao nível das comparações superficiais.

Isso tem consequências importantes para o método dos modelos. Antes de tudo, segundo o princípio do historicismo marxista, devem ter um caráter realista, isto é, devem ter sua referência na realidade. Seu fim é permitir que seja afastada a influência dos fatores secundários para observar melhor os níveis da realidade ocultos sob a superfície factual. E, contudo, eles não podem ser senão instrumentos destinados a facilitar a pesquisa, como para Weber. Para o historiador marxista, é necessário ainda que essa referência à realidade tenha em conta a sucessão das épocas, isto é, as mudanças na configuração dos fatores essenciais e secundários, pois não podemos construir modelos que utilizaram elementos provenientes de épocas diversas e de modos de produção diversos.

Esse princípio do historicismo e do realismo assegura uma análise integral do processo histórico. A historiografia marxista não rejeita o nível factual da história, mas tenta explicá-la de uma maneira mais profunda. Podemos então considerar esse nível como uma concretização da realidade oculta, mas que permanece sempre uma realidade histórica. É, pois, evidente que na historiografia baseada sobre os princípios que acabamos de evocar podemos encontrar os diversos gêneros do tempo histórico. Evidentemente, é uma concepção que favorece o tempo histórico retro-prospectivo em ligação com o tempo da duração, mas que exige igualmente que os historiadores tenham uma consciência clara do nível do processo histórico sobre o qual eles trabalham. Isso significa que é necessário dar, mesmo aos estudos dos fatos individuais, uma perspectiva teórica.

REFERÊNCIAS BIBLIOGRÁFICAS

1 DANTO, A. Analytical philosophy of history. Cambridge, Cambridge University Press, 1965.

2 GAXOTE, P. La révolution française. Paris, 1962.

O SANDINISMO E OS DESAFIOS DA NICARÁGUA HOJE

DIMAS FLORIANI
Sociólogo do Instituto Paranaense de Desenvolvimento Econômico e Social — IPARDES. Coordenação Sócio-econômica da casa Latino-Americana, Curitiba, Paraná.

As histórias das revoluções são singulares porque elas condensam o que há de mais original e autêntico do quotidiano de um povo. Simultaneamente, reintegram no plano, ético e existencial a idéia de grandeza histórica, perseguindo pelas veredas do imaginário o ideal de justiça social.

A história da revolução sandinista não poderia ser diferente. Não foi diferente a história da revolução cubana, da revolução chinesa, da revolução russa, da revolução francesa e de tantas outras de libertação nacional.

Quem sabe, e por isso mesmo, Camilo Torres e tantos cristãos somaram suas vidas em busca do Homem Novo? Quem sabe, e talvez por isso, ser marxista na Nicarágua é ser sandinista, segundo declarou Bayardo Arce, obedecendo talvez as mesmas razões dos defensores da Teologia da Libertação, que se consideram os defensores do verdadeiro cristianismo!

Não poderia um processo revolucionário ter êxito se não contasse com essas profundas razões subjetivas. Não basta a crueza da objetividade histórica manifestar-se nas formas mais agudas da contradição se, no mais íntimo do mais simples dos homens, não estiver depositado um grão de certeza, de convicção, por mais diminuto que seja. Assim nos revelou em seu magnífico relato Omar Cabezas, **La montaña es algo más que una inmensa estepa verde:** "Os sandinistas ficaram isolados depois da morte de Sandino e começaram a educar seus filhos nessa tradição, alimentando esse sentimento contra os ianques que nos ocupavam e nos humilhavam. Eram homens descalços, miseráveis, mas com um sentimento de dignidade nacional extraordinária, com consciência de soberania; essa era em essência a realidade."[1]

A saga de um povo retoma e atualiza a experiência coletiva de luta libertadora, o que significa traduzir, no presente, a imagem de grandeza de seu próprio passado.

Não é por acaso que a poesia ganha as ruas, as montanhas, as noites dos combatentes clandestinos, empenhados em derrotar a ditadura somozista. Naquele momento, cada combatente era um Ruben Dario; a poesia transformara-se em linguagem transformadora.

A história da revolução sandinista é a epopéia do povo nicaragüense.

Assentadas as bases da identidade ou do autoconvencimento popular sobre o papel de Sandino como guia máximo da Libertação Nacional, passemos a considerar o emaranhado da formação social ou dos motivos históricos dessa insurreição.

Com Sandino, contudo, a luta não se revestiu de um caráter messiânico como em outras realidades do continente, ou como ainda no século passado, no México, Hidalgo fazia irromper as massas camponesas atrás do estandarte da Virgem de Guadalupe.

AS ORIGENS

A prática diplomática americana de um Ronald Reagan será diferente da diplomacia do Dólar, do Garrote e dos Canhoneiros, do início do século, na América Central? Evidentemente não faltaram belas lições à arrogância ianque, de Cuba ao Vietnam. Contudo, o que faz pensar que hoje os americanos respeitam mais do que antes a livre determinação dos povos do capitalismo periférico? Seriam as trapalhadas palacianas anunciando a queda antecipada de Baby Doc? Ou ainda o zelo pela democracia que tem Reagan em relação às Filipinas? Ou no lugar da intervenção direta na Nicarágua, entupir os "contras" com dólares? Mas, indaga-

---

1 CABEZAS, Omar. La montaña es algo más que una inmensa estepa verde. 3.ed. Manágua, Nueva Nicaragua, 1985. p.251-2.

ções à parte, vejamos em que contexto histórico se deu a formação social nicaragüense.

A infausta aventura do saqueador norte-americano William Walker, que desembarcou na Nicarágua, em 1855 e lá decretou o retorno à escravatura em homenagem e por subser vência aos escravocratas do sul que financiaram sua operação de saque, expressava a própria debilidade das oligarquias representadas nos partidos Conservador e Liberal que foram sucessivamente abrindo as portas à intervenção ianque (Buttler e Latimer).

A constituição das nacionalidades na América Central, no século XIX, sofreu processo e destino distintos dos da América do Sul. Naquela região, não houve propriamente guerras de independência. "Na sociedade centro-americana, o poder colonial foi um poder débil, mesmo na Guatemala, sede da Capitania Geral do Reino e, e que, portanto, concentrava a expressão desse poder: a estrutura burocrático-religioso-militar, a ideologia senhorial, os privilégios excessivos e o **status** que outorga o sangue e a propriedade da terra... daí a guerra civil não ter sido uma guerra 'nacional', entre nacionalidades diversas que se enfrentam, mas entre frações liberais e conservadoras de um mesmo país..."[2]

A contradição entre os diversos interesses das classes rurais latifundiárias e usuárias, com zonas produtivas não controladas plenamente pelo capital, uma sociedade civil débil composta de estratificações étnicas e zonas geográficas sob controle estrangeiro foram dando contornos à região em particular, à Nicarágua, onde sucessivos mandos militares comandaram o país com o apoio despudorado do interesse norte-americano[3].

SANDINO ENTRA EM CENA

Pátria e Liberdade. Com estas duas palavras, Augusto César Sandino subscrevia suas cartas.

2 TORRES RIVAS, E. Sobre a formação do Estado na América Central. In: **O ES-TADO na América Latina**. Rio de Janeiro, Paz e Terra, 1977. p.66.
3 **Ver** TORRES RIVAS.

A luta contra as tropas de ocupação, iniciada em 1926 pelos primeiros 30 homens comandados pelo "General de homens livres", constituiu o embrião do Exército Defensor da Soberania Nacional. Esse movimento encarnou a soberania entranhada no sentimento popular nicaragüense, representado pelos peões agrícolas, artesãos, mineiros e pequenos agricultores[4].

A resistência armada ao invasor apresenta componentes de ruptura em relação às duas forças políticas dominantes (liberais e conservadores); essa ruptura poderia ter sido definitiva, não fosse ainda a crença que Sandino nutria em relação a um regime "constitucionalista" estabelecido. Acuados os ianques, Sandino assina um armistício interno com o governo liberal de Sacasa que lhe concede certas garantias além de uma parcela territorial para ele e sua gente, em Las Segovias. "Mas a guerra continua, secreta e dissimuladamente. Pois, embora os norte-americanos não estejam mais no país, deixaram sementes na Nicarágua. Uma delas, o ex-secretário de Moncada em Tipitapa, Anastácio Somoza, tinha sido designado, em 15 de novembro de 1932, chefe-diretor da Guarda Nacional, o organismo policial-militar treinado pelos norte-americanos para salvaguardar a ordem do país. A Guarda Nacional tenta impedir de mil maneiras o regresso dos ex-guerrilheiros aos seus lares, prendendo-os, perseguindo-os, matando-os. E, paulatinamente, vai cercando Las Segovias"[5].

A partir desse momento, preparava-se a longa noite para o povo nicaragüense, que duraria de 21 de fevereiro de 1934, dia do assassinato de Sandino, a 9 de julho de 1979, dia da vitória da Frente Sandinista de Libertação Nacional. Foram 45 anos de opressão da dinastia dos Somoza. Esse período funesto não representou, contudo, ausência de resistência popular, o que foi demonstrado fundamentalmente a partir de 1956, ano da fundação da FSLN.

4 RAMIREZ MERCADO, S. Vigencia del pensamiento sandinista. **Tricontinental,** 4(94): p. 15, 1984.
5 SELSER, G. Sandino, general de homens livres. São Paulo, Global, 1979. p.41.

DO TRIUNFO DA REVOLUÇÃO POPULAR SANDINISTA AOS DESAFIOS DE SUA CONSOLIDAÇÃO

Em uma certa medida, vencer os desafios do subdesenvolvimento no plano econômico, consolidar um regime democrático-popular no plano político e manter uma posição diplomática de não-alinhamento constituem possivelmente tarefa mais difícil que a derrocada da dinastia ditatorial dos Somoza.

A Frente Sandinista de Libertação Nacional — FSLN — através da Direção Nacional, detém a hegemonia política do processo revolucionário. Embora essa Direção abrigue tendências político-estratégicas distintas, oriundas do período pré-revolucionário, está funcional e ideologicamente unificada, o que se expressa nas grandes linhas da política econômica, da doutrina militar, da reforma agrária e da atividade internacional.

É verdade que essa hegemonia no plano estritamente político não se deu sem conflito. Pouco a pouco, setores da burguesia rural e urbana decidiram formar a Aliança Revolucionária Democrática — ARDE — e a Frente Democrática Nicaragüense — FDN —, organizações que operavam militarmente em Honduras e Costa Rica, cujo núcleo inicial, os "contras", eram ex-guardas somozistas. Em que pese o quadro pouco favorável de institucionalização do processo revolucionário, foram realizadas eleições para a Presidência e Vice-Presidência, bem como para deputados à Assembléia Constituinte em 4 de novembro de 1984[6].

No presente contexto de fustigamento externo em diversos planos, militar (as baixas causadas pelos contras chegam a 7 mil), econômico e diplomático, não cabem dúvidas de que, mesmo se pretendendo um governo antiimperialista e não socialista — ao estilo cubano —, não será fácil para os

---

6 "Votaram 75% dos eleitores com direito a voto. A FSLN venceu as eleições com 67,2% dos votos válidos. O bloco dos partidos de centro e de centro-direita (social-cristãos, liberais, conservadores) obteve pouco mais de 29%. Os partidos de esquerda (socialistas, comunistas, marxistas-leninistas) não alcançaram, em conjunto, 4%. Na Assembléia Constituinte, os sandinistas podem contar com 61 deputados; a oposição de centro-direita, com 29; a de esquerda, com 6. Dos 25% de eleitores que não votaram, o jornal La Prensa de Manágua afirmou que representam a verdadeira oposição." OS SANDINIS-TAS. São Paulo, Brasiliense, 1985. p.56).

dirigentes da FSLN manter o atual equilíbrio instável, o que agravaria a situação externa e interna.

Ao contrário do que muita gente acredita, a economia mista da Nicarágua não aboliu as classes sociais. A burguesia deve contar com aproximadamente 1.200 famílias, pois 800 devem ter deixado o país. Os camponeses constituem 54% da população; o proletariado agrícola 26% e a pequena burguesia 16%.

Para entender melhor o processo de mudança em curso na estrutura sócio-econômica, deve-se observar como a nova economia mista controla a produção: 40% da produção industrial é estatal; o comércio exterior é 100% estatal, enquanto o interno o é 30%. Na agricultura, a produção estatal equivale, mais ou menos, ao mesmo percentual da propriedade da terra: cerca de 23%. As cooperativas e os pequenos camponeses possuem 10% das terras[7].

Desde sempre, a burguesia nicaragüense havia sido um espectro de burguesia. Isso permite ao Comandante Arce afirmar que "aqui está nascendo uma burguesia nacional. Antes não havia mais do que uma burguesia administrativa, que vivia do financiamento externo, trabalhava e terminava com um lucro mínimo, porque o grosso acabava nas mãos dos bancos estrangeiros"[8].

Uma indagação que deve pairar provavelmente em muitas cabeças é se essa burguesia aceita ser um simples produtor de bens sem ter o poder político.

Logo após a tomada do poder pela FSLN, foi aplicada a primeira fase da reforma agrária que foi a expropriação das terras dos Somoza. Já a segunda fase da reforma agrária foi anti-oligárquica, para atender as aspirações dos camponeses pobres sem terras. Evidentemente, essa reforma agrária pretende ser integral "porque além de dar a terra, a ajuda financeira e a assistência técnica, prevê modificar a vocação da produção. Somente uma revolução pode realizar tudo isso"[9].

---

7 **OS SANDINISTAS,** p.126.
8 Em **OS SANDINISTAS,** p.116.
9 Comandante Wheelock em **OS SANDINISTAS,** p.144.

As seqüelas da dependência são fáceis de identificar: ausência de indústrias de base, de infra-estrutura (energia e meios de comunicação), o que só faz aumentar ainda mais os desafios que já se acumulam aos montes. Mas para um povo que persistentemente busca superar-se, esse esforço certamente é pequeno diante dos que já realizou historicamente.

REFERÊNCIAS BIBLIOGRÁFICAS

1 CABEZAS, Omar. **La montaña es algo más que una inmensa estepa verde.** 3.ed. Manágua, Nueva Nicaragua, 1985.
2 O ESTADO na América Latina. Rio de Janeiro, Paz e Terra, 1977.
3 RAMIREZ MERCADO, S. Vigencia del pensamiento sandinista. **Tricontinental,** 4(94): 13-17, 1984.
4 OS SANDINISTAS. São Paulo, Brasiliense, 1985.
5 SELSER, G. **Sandino, general de homens livres.** São Paulo, Global, 1979.

PROJETOS DE PESQUISA

DE SEM-TERRA A COLONO: TRAJETÓRIAS E CONTRADIÇÕES DE UM PROJETO COMUNITÁRIO DE VIDA.

ANAMARIA AIMORÉ BONIN
MÁRCIA S. DE ANDRADE KERSTEN
Professoras do Departamento de Antropologia da Universidade Federal do Paraná.

ANGELA DUARTE DAMASCENO FERREIRA
Professora do Departamento de Comunicação e Ciências Sociais da Universidade Federal do Paraná.

JOÃO CARLOS TORRENS
Sociólogo do DERAL/Secretaria da Agricultura do Estado do Paraná.

1. INTRODUÇÃO

A presente pesquisa pretende continuar um trabalho anterior[1], realizado durante o ano de 1985, sobre 365 famílias de trabalhadores rurais sem-terra vinculados ao MASTRO — Movimentos dos Agricultores Sem-Terra do Oeste do Paraná e ao MASTES — Movimento dos Agricultores Sem-Terra do Sudoeste do Paraná. Este grupo camponês conseguiu, em janeiro de 1985, após sete meses e diferentes formas de luta, a desapropriação de uma área improdutiva em Mangueirinha, Sudoeste do Paraná — a Fazenda Imaribo, com 10.000 h e seu assentamento no local.

O referido trabalho, concluído em dezembro de 1985, procurou, preliminarmente, entender a trajetória dos movimentos pela terra do Paraná, desde as condições econômico-sociais que estão na sua base, até os aspectos mais imediatos de sua constituição enquanto movimentos organizados. Esta compreensão foi possibilitada pela análise do caso do Paraná à luz das mudanças operadas pelo regime militar nas formas de operação do capital na agricultura brasileira

---

1 BONIN, Anamaria, FERREIRA, Angela D.D., TORRENS, João Carlos e KERSTEN, Márcia S. de Andrade. Os sem-terra conquistam Imaribo; subsídios para a ação institucional no assentamento "Vitória da União". Curitiba, Convênio SEAG/UFPr. 1985.

e os efeitos destas transformações no campesinato, especialmente no que diz respeito ao acesso à terra. O entendimento da constituição do movimento dos sem-terra como resposta deste segmento camponês à sua crescente proletarização, pressupôs, também, a recuperação do seu histórico e a identificação preliminar dos agentes mediadores da sua mobilização (Igreja, entidades e associações do meio rural e urbano, partidos políticos) que tiveram seu espaço de atuação viabilizado pela conjuntura política brasileira do final dos anos 70 e início dos anos 80, com o início 'do processo de redemocratização do país. A partir desta visão mais ampla da agricultura e da questão dos sem-terra 'no Brasil e no Paraná, aquele trabalho analisou o caso específico da conquista da Fazenda Imaribo, tanto recuperando aspectos descritivos da mobilização e luta das 365 famílias envolvidas no processo, como estudando algumas variáveis de sua caracterização: trajetória de vida e de trabalho (deslocamentos espaciais, relações de produção e de trabalho, áreas possuídas e produtos culativos); composição familiar, participação em associações, movimentos organizados, sindicatos, igrejas, etc.; projeto de vida; nível tecnológico utilizado; bens e instrumentos de produção que ainda possuíam no momento imediatamente anterior ao seu assentamento.

Por último, o trabalho acompanhou o início do assentamento dessas famílias, procurando identificar alguns problemas e dilemas que passam a enfrentar quando começam a estruturar seu novo projeto de vida, no que diz respeito às resoluções comuns sobre formas de organização da produção e da comercialização, a questão da escola, da saúde e demais serviços de infra-estrutura material e social. Ao acompanhar as discussões grupais deste momento do assentamento, aquela pesquisa evidenciou, de forma preliminar, as contradições existentes entre a utopia comunitária de vida que aglutinava o movimento camponês pela terra e as relações reais que conseguem estabelecer, a nível grupal e a nível do seu relacionamento com as instituições e agentes da sociedade global, no processo de organização de seu cotidiano na nova situação.

Como proposta para prosseguir as reflexões iniciadas sobre os sem-terra de Imaribo e seu assentamento auto denominado **Vitória da União** o presente trabalho pretende estudar três aspectos de sua trajetória, considerados especialmente relevantes para o entendimento do que representa, hoje, no Paraná e no País, o movimento dos sem-terra e seu possível papel na realização de uma Reforma Agrária mais ampla e inovadora no que diz respeito às propostas de viabilização de assentamentos rurais.

O primeiro aspecto a ser estudado é o da construção de uma utopia camponesa, de cunho comunitário, que constitui o elo unificador necessário para a formulação de objetivos e estratégias de luta comuns de um grupo camponês, àquele momento, já bastante diferenciado a nível sócio-econômico.

Pretende-se, neste estudo, apreender: a) elementos e princípios que estruturam esta utopia; b) como se realiza sua construção (mediação de agentes e organismo vinculados ou sob a influência da Igreja, ou outros; c) relações entre a utopia e a produção de uma identidade grupal direcionadora da luta.

O segundo aspecto diz respeito ao momento inicial do assentamento, quando as questões concretas de estruturação da vida como camponeses fazem emergir a diversidade do grupo e, a partir dela, as contradições do projeto comunitário camponês. Pretende-se compreender, neste aspecto: a) como enfrentam as divergências internas surgidas do dilema básico entre a alternativa comunitária e as relações reais que devem estabelecer, para sua viabilização como pequenos produtores; b) em que medida este enfrentamento resulta num projeto de vida negador da utopia comunitária inicial e que redefinições são produzidas nas suas estratégias de organização e de reivindicação a partir deste momento; c) se e como este processo de mudanças transforma as relações do grupo de Imaribo com os agentes mediadores anteriormente privilegiados, com o próprio movimento dos sem-terra e suas lutas pela Reforma Agrária.

Finalmente, este trabalho pretende realizar um balanço geral do assentamento, confrontando-o com as expectativas, construídas durante a luta pela terra, de que fosse um **modelo** a estimular a luta mais ampla pela Reforma Agrária no País. Nesta análise, serão confrontados tanto os objetivos de viabilização econômica do assentamento quanto as formas de organização que foram geradas e efetivadas durante a construção de sua vida como colonos.

Considera-se relevante a presente proposta de estudo, por um estímulo a uma reflexão sobre o Movimento dos Sem-Terra no Paraná e sobre o grupo camponês de Vitória da União no que diz respeito, ao mesmo tempo, à sua especialidade camponesa e à sua similaridade com parte das camadas subalternas da sociedade brasileira contemporânea. Este entendimento é preliminar à construção de propostas de luta politicamente mais eficazes, que ultrapassam a conquista localizada da terra e contribuam, portanto, para mudanças mais substanciais desta sociedade.

2. OBJETIVOS

2.1. Compreender o processo de construção da utopia camponesa direcionadora da luta pela terra no Paraná;

2.2. Analisar como esta utopia se redefine no momento em que o grupo camponês conquista a terra;

2.3. Realizar uma avaliação geral do assentamento deste grupo camponês, confrontando-o com o projeto de vida subjacente àquela utopia.

3. RESULTADOS

3.1. Fornecer subsídios para que o movimento dos sem-terra no Paraná possa refletir sua própria trajetória e possa avançar nas suas estratégias de luta;

3.2. Contribuir para a redefinição eventualmente necessária dos rumos do assentamento, especialmente, no que diz respeito às relações internas do grupo assentado e nas suas inter-relações e confrontos com o Estado;

3.3. Reunir um acervo significativo de informações sobre os sem-terra e seus assentamentos, através da gravação de fitas, vídeos e produção de livretos que registrem as experiências de organização e luta dos sem-terra do Paraná, contribuindo, com este registro, para a formação do Núcleo de

Memória Popular do Paraná, a ser organizado como setor integrado ao CESCO — Centro de Estudos da Sociedade Contemporânea.

4. METODOLOGIA

A proposta metodológica deste trabalho se inscreve nas tendências mais recentes das Ciências Sociais contemporâneas que redefiniram o papel do pesquisador e do objeto da pesquisa social, a partir das concepções que se podem agrupar sob a denominação genérica de "pesquisa participante".

Os procedimentos metodológicos vinculados a estas concepções procuram romper com a "pesquisa pela pesquisa" ou o academicismo predominante, ainda, nos institutos de pesquisa e universidades brasileiras.

Os pressupostos básicos que fundamentam estes procedimentos podem ser assim sistematizados: a) a superação epistemológica da tradicional oposição entre o sujeito e o objeto da pesquisa, a partir da qual o "objeto" pesquisado é parte passiva do ato de conhecimento. A proposta da pesquisa participante, como se sabe, concebe a relação sujeito/objeto como um processo em que os grupos ou a comunidade estudada são co-produtores do saber e, portanto, agentes privilegiados no processo de desvendamento de suas próprias realidades. b) A idéia de que a pesquisa deve, necessariamente, conduzir a um processo de transformação da realidade estudada, a partir do envolvimento e ação dos próprios grupos e comunidades.

Tomando como ponto de partida estes pressupostos, este projeto foi realizado em função do interesse do Movimento dos Sem-Terra do Paraná e, particularmente, das lideranças de Vitória da União em registrar suas trajetórias de luta e em avaliar o assentamento após um ano de sua organização.

O detalhamento do presente projeto e sua realização serão feitos em conjunto com os representantes do Movimento dos Sem-Terra. Neste sentido, a proposta metodológica a ser adotada fundamenta-se na participação ativa do grupo pesquisado em três níveis: a) na definição das prioridades da pesquisa, conforme os interesses de curto e médio prazos do Movimento; b) na definição do papel do Movimento na realização das diferentes etapas da pesquisa; c) na decisão quanto às formas de apropriação dos resultados da pesquisa.

Pretende-se, portanto, adotar uma postura metodológica que possibilite reflexões efetivas do Movimento dos Sem-Terra e do grupo camponês de Vitória da União sobre suas perspectivas de ação, a partir do desvendamento conjunto — realizado pelos técnicos e pelas comunidades pesquisadas — das suas experiências e trajetórias de vida e de luta.

5. ETAPAS, PROCEDIMENTOS BÁSICOS E CRONOGRAMA DO TRABALHO

A pesquisa será desenvolvida levando-se em conta dois tipos principais de fontes: a) fontes documentais: documentos arquivados na Secretaria Estadual do Movimento dos Sem-Terra do Paraná; periódicos da imprensa do Estado e do país; b) fontes orais: recuperação da história oral dos sem-Terra; entrevistas com agentes envolvidos nas lutas dos sem-Terra e no seu assentamento; recuperação da história oral do assentamento.

Numa primeira fase (abril/agosto), serão realizadas a pesquisa documental básica, e uma parcela significativa dos procedimentos de história oral para recuperação da história dos sem-Terra e das entrevistas com agentes envolvidos nas suas lutas.

Em seguida (agosto/setembro), será estruturada, em conjunto com as lideranças do Movimento dos Sem-Terra e do assentamento Vitória da União, uma pesquisa mais ampla com os assentados, com amostra a ser delimitada e selecionada. A sistemática de realização da pesquisa será resolvida com o grupo dos assentados, dando-se preferência para realização de reuniões com pequenos grupos para discussão e avaliação do assentamento e, por fim, reuniões mais amplas para apresentação e discussão dos resultados preliminares. O período de realização desta pesquisa deverá coincidir com o final da comercialização da primeira safra dos produtos principais cultivados.

A ORGANIZAÇÃO DO MOVIMENTO DE MULHERES EM CURITIBA DE 1952 A 1982*

ANA PAULA VOSNE MARTINS
Estudante do Curso de História da Universidade
Federal do Paraná.

RESUMO

O presente trabalho tem como interesse fundamental uma análise histórica das diversas organizações de mulheres que se formaram no período delimitado em Curitiba, buscando compreender a história enquanto processo e transformação. A principal proposta deste trabalho é buscar a história da mulher onde ela é produzida, tanto no espaço público, quanto no espaço privado, resgatando a sua participação social e política.

PLANO DA NATUREZA DO PROBLEMA E DAS HIPÓTESES

Problemática: Este trabalho procura resgatar a historicidade das organizações de mulheres em Curitiba, no período de 1952 a 1982, com o objetivo de conhecer a participação política e social das mulheres enquanto movimento social organizado.

Sentido do problema: Desde o século XIX algumas mulheres vêm lutando pela causa feminista no Brasil. Através da imprensa, através das organizações, observamos que a luta das mulheres assume hoje um papel importante no conjunto dos movimentos sociais. Como todo e qualquer movimento, passou por diversas fases, algumas mais combativas, outras de menor atuação. Tendo claro que um movimento social deve surgir como oposição a uma ordem social geralmente imposta, temos no movimento de mulheres

* Projeto de Pesquisa realizado sob a orientação da Professora Maria Ignês Mancini de Boni, para a disciplina "Métodos e Técnicas de Pesquisa Histórica III". Departamento de História/UFPR.

o exemplo de uma oposição talvez mais profunda, porque questiona papéis sexuais determinados culturalmente e porque, ao trazer para a cena histórica uma categoria de análise geralmente não considerada pelos historiadores como o sexo, contribui grandemente para uma revisão teórica e metodológica da história.

É na própria organização das mulheres que se encontram alguns dos elementos reais para a análise da atuação, da formação da estrutura organizacional e, principalmente, da ideologia do movimento. Os elementos prática, estrutura e ideologia atuam concomitantemente, resultando numa postura que determina os interesses reais das organizações. São os mesmos elementos que, inseridos numa conjuntura histórica específica, delimitarão as diversas fases do movimento de mulheres, aqui especificamente, de Curitiba. Cada fase do movimento terá posições políticas e sociais diferentes. A problemática do trabalho questiona implicitamente estas diversas fases, os posicionamentos políticos e atuação como movimento social.

Enunciado das hipóteses:

1. A falta de uma perspectiva totalizante das questões relativas à condição feminina, caracteriza a temporaneidade da participação política das organizações.

2. O mais relevante momento de participação social das mulheres ocorre quando o movimento, ao trazer para a cena histórica o espaço doméstico em contraposição ao espaço público, assume o caráter de contestação da ordem estabelecida.

3. A instrumentalização das organizações de mulheres por parte dos partidos políticos de esquerda, resultou numa prática política enfraquecida, por subordinar as questões específicas da mulher ao problema de classes.

Algumas questões metodológicas:

A produção de estudos sobre a questão da mulher tem crescido muito desde o final da década de 70, reflexo da organização do movimento feminista que ocorreu a partir de 1975. São várias as áreas de estudo que estão se desenvolvendo, analisando e questionando a mulher dentro da sociedade. Assim, nos defrontamos com diversas visões, diversas linhas teóricas, preocupadas em compreender este novo objeto de investigação que é a mulher.

As diversas pesquisas sobre a mulher abrangem os mais variados temas, principalmente aqueles relacionados com a condição concreta da mulher na sociedade: inserção da mulher no mercado de trabalho; a família, os papéis sexuais; a saúde da mulher, sendo neste tema, o aborto, o assunto que gera maior atenção por parte dos pesquisadores; a sexuali-dade; a participação política; o direito; a educação e enfim, uma série de outros temas tratados pelos mais variados campos da pesquisa científica.

Nota-se, em todas estas pesquisas, uma ausência im-portante: a pesquisa histórica sobre a mulher. Poucos são os trabalhos de história com esse objeto, e devemos levar em conta que a produção de teses de pós-graduação em história só é superada, no Brasil, pelas teses de pós-graduação da área econômica, segundo dados de Carlos Guilherme Mota. Alguns trabalhos interessantes estão sendo desenvolvidos nesta área sobre o tema, mas seu número ainda é muito reduzido.

Por que estaria isto acontecendo? Será que este tema é de pouco interesse para os historiadores? Infelizmente esta ausência da história não ocorre somente com relação à questão da mulher. Algumas pesquisas esparsas estão tentando buscar novos objetos, mas a maioria das pesquisas apresenta uma fragilidade metodológica e conceitual visíveis. Talvez isto seja um indicador da pretensa neutralidade da história. Outro motivo da ausência da história em novos objetos de pesquisa está relacionado com o próprio conceito de cientificidade da história, para o qual, é necessário tudo medir; quantificar é a palavra de ordem.

Deparamo-nos com um problema institucional, ou seja, o local onde é produzido o conhecimento histórico. Se não for realizada urgentemente uma reflexão sobre esta produção, no próprio lugar da produção, a história continuará ausente.

O problema da ausência da história na maioria dos novos objetos de pesquisa é um problema de método. O método da história ainda está em construção. Formas cristalizadas de pesquisa devem ser derrubadas e substituídas por outros métodos de pesquisa que mudem a própria concepção de história. É uma tarefa difícil, mas que já começa a ser realizada por alguns historiadores, mais preocupados em analisar seus objetos que com a ideologia da ciência.

Não aceitando as interpretações tradicionais da história, entendendo que tradicional não quer dizer apenas positivista, assumimos neste trabalho uma posição metodológica diferente: pretendemos resgatar a história da mulher nas suas formas de organização, nas interpretações de sua própria história. Para isto, faz-se necessário ter claro que o objeto a ser pesquisado tem uma historicidade própria, é produto de relações sociais determinadas historicamente.

Este trabalho não pretende apenas resgatar e transcrever os depoimentos das mulheres e da imprensa. Busca compor periodização diferente, uma periodização da história das mulheres, deixando assim a sua história; uma história que não faz parte da "história".

Assumimos assim uma posição metodológica que não aceita a idéia do lugar da produção da história, legitimada pela periodização. Acreditamos que a periodização só pode ser estabelecida por quem produz a sua história; no caso, as mulheres curitibanas que falem e contem a sua história.

PLANO DOS OBJETIVOS E JUSTIFICATIVA DA PESQUISA:

Justificativa da pesquisa:

A ascensão da história social como método de pesquisa está ligada ao resgate da história de grupos sociais que estavam marginalizados do poder. A história tradicional ocupou-se sempre da pesquisa da transmissão e exercício do poder político, ignorando a presença de outros setores da vida social.

A história pouco tem contribuído para os estudos sobre a mulher; mesmo com a ascenção da história social, alguns problemas teóricos e metodológicos sobre o novo objeto devem ser enfrentados. Segundo a historiadora da mulher June E. Hahner, "a história da mulher poderia ser considerada como uma derivada lógica da história social; ela diverge da história social numa premissa básica: mulheres e homens ocupam posições diferentes na sociedade e não podemos automaticamente estudar homens e mulheres dentro da mesma estrutura conceitual".

Desta forma, um novo desafio é colocado para os historiadores preocupados em recuperar a história de segmentos sociais até então não considerados como objeto de análise histórica. É fundamental o questionamento de conceitos, como por exemplo, o que se considera por "importância histórica".

Estudar a história das mulheres é repensar a contradição espaço privado ou doméstico/espaço público. A história tradicional considera como de importância histórica o espaço público. O espaço doméstico e todas as relações sociais que aí se estabelecem não são sequer consideradas históricas, estão ausentes e à margem da história. Isto resulta da própria divisão sexual do trabalho, onde o trabalho desenvolvido no espaço doméstico não é considerado como trabalho produtivo. Parece ser este argumento a base das discriminações que sofrem as mulheres de grande parte das sociedades ocidentais.

Assim, estudar a história da mulher é romper estas barreiras preconceituosas, buscar uma história através das próprias mulheres, de suas atividades, seus valores, problemas e lugar que ocupam na sociedade.

O tema deste trabalho está ligado à história das organizações femininas e feministas que atuaram num período delimitado. Por que resgatar a historicidade da organização? Esta pergunta envolve duas questões fundamentais. A primeira está ligada diretamente à obtenção das fontes históricas.

As atas das organizações e os testemunhos pessoais das militantes, assim como as fontes impressas, jornais, revistas, panfletos e debates de congressos são importantes fontes de dados que estão facilmente disponíveis e que não receberam ainda um tratamento histórico.

A segunda questão está relacionada com forma específica de atuação das mulheres, que é a própria organização. Vários foram os motivos que levaram estas mulheres a se organizarem em torno de alguns objetivos comuns e a elaborarem programas de atuação. Estas organizações têm que ser entendidas dentro do contexto histórico em que foram geradas.

Mas não basta apenas recuperar a história das organizações. É necessário conhecer como e porque se organizaram para se poder compreender o atual movimento de mulheres. Não estamos procurando as causas para entender o que está ocorrendo atualmente. Nossa preocupação é entender o movimento das mulheres, dentro de sua especificidade, recuperando as diversas fases e mudanças próprias da dinâmica histórica do mesmo.

É com esta visão sobre a história das mulheres que recorremos a uma periodização não tradicional. A periodização oficial não abrange as especificidades da história das mulheres, por razões já expostas anteriormente. Faz-se necessário estudar sua história através de seus momentos, ou seja, de suas lutas, seus momentos de participação e dentro do seu espaço social próprio.

Além destas questões teórico-metodológicas, ressalta-se ainda a originalidade do tema do trabalho, ainda não tratado por historiadores, principalmente, com a periodização adotada. A delimitação do período 1952-1982 foi escolhida por alguns motivos que devem ser esclarecidos. Sabe-se por pesquisas anteriores e por outras em andamento, da proliferação de movimentos sociais na década de 50, entre eles, o que mais influenciou esta pesquisa: a greve branca de 1952 que envolveu vários segmentos sociais, entre eles, as mulheres[1]. As

---

1 HOFFMANN, S.V. & SCHINIMANN, F. A vermelha greve branca. Curitiba — 1952. Monografia, Universidade Federal do Paraná, Curitiba, 1985.

História: Questões & Debates, Curitiba 7(12):71-78 Jun. 1986

décadas seguintes serão muito específicas no tocante à organização feminina em Curitiba, com fases bem delimitadas em termos de ideologia e atuação.

Objetivos da pesquisa:

— Recuperar as organizações de mulheres que se formaram em Curitiba durante o período delimitado, analisando suas estruturas organizacionais.

— Analisar seus objetivos enquanto organização; suas bandeiras de luta e o papel que desempenharam nestas lutas.

— Recuperar o depoimento das participantes com o objetivo de conhecer a sua interpretação da história do movimento.

— Compreender através da imprensa e dos depoimentos as diversas fases do movimento de mulheres, suas principais diferenças de atuação, de organização e de ideologia.

PLANO DA DESCRIÇÃO DA POPULAÇÃO:

— Área geográfica em que será executado o projeto: Cidade de Curitiba, Paraná;

— Descrição da população em que o projeto será executado: A população constará de mulheres participantes das diversas fases do movimento; homens que acompanharam as organizações e dirigentes dos partidos políticos.

PLANO DO EXPERIMENTO:

— Os instrumentos utilizados na pesquisa são as fichas para a coleta de dados de fontes impressas, do Departamento de História da Universidade Federal do Paraná e a técnica da história social de entrevista gravada.

— As fichas serão usadas para a obtenção de dados dos jornais, revistas e outras fontes impressas do período. A entrevista tem como objetivo, obter do entrevistado dados que possam ampliar aqueles conseguidos com as fontes impressas e o testemunho histórico daqueles que participaram direta ou indiretamente do movimento de mulheres.

REFERÊNCIAS BIBLIOGRÁFICAS

ANDERSON, Perry. **A crise da crise do marxismo.** Introdução a um debate contemporâneo. São Paulo, Brasiliense, 1984.

BEAUVOIR, Simone de. **O segundo sexo.** vol. 1. Rio de Janeiro, DIFEL, 1970.

CARDOSO, Irede. **Os tempos dramáticos da mulher brasileira.** São Paulo, Global, 1981.

CONSELHO ESTADUAL DA CONDIÇÃO FEMININA. Centro de memória sindical. **Mulheres operárias.** São Paulo, Nobel, 1985.

DIAS, Maria Odila L. da S. **Quotidiano e poder em São Paulo no século XIX.** São Paulo, Brasiliense, 1984.

DE DECCA, E. **O silêncio dos vencidos.** São Paulo, Brasiliense, 1984.

ENGELS, F. **A origem da família, da propriedade privada e do Estado.** Rio de Janeiro, Civilização Brasileira, 1977.

FOUCAULT, M. **História da sexualidade.** A vontade de saber. Rio de Janeiro, Graal, 1977.

HAHNER, June E. **A mulher brasileira e suas lutas sociais e políticas.** 1850-1937. São Paulo, Brasiliense, 1981.

LARGUIA, I. & DUMOULIN, J. **Para uma ciência da libertação da mulher.** São Paulo, Global, 1982.

MARCUSE, H. **Eros e civilização.** Rio de Janeiro, Zahar, 1968.

MORAES, Maria Lygia Q. de. Mulheres em movimento. São Paulo, 1985, 73 p. mimeo. **Diagnóstico da situação da mulher no Brasil e em São Paulo entre 1976 a 1985.**

MANTEGA, Guido (coord.) **Sexo e poder.** São Paulo, Brasiliense, 1979.

MARX, K.; ENGELS, F.; LENIN, V.I. **Sobre a mulher.** Coleção Bases. São Paulo, Global, 1981.

RYCROFT, C. **As idéias de Reich.** São Paulo, Cultrix, 1971.

REICH, W. **A revolução sexual.** Rio de Janeiro, Zahar, 1969.

RAGO, Margareth. **Do cabaré ao lar.** A utopia da cidade disciplinar. Brasil 1890-1930. Rio de Janeiro, Paz e Terra, 1985.

DEPOIMENTO DO PROFESSOR WILSON MARTINS: REFLEXÕES SOBRE A HISTÓRIA POLÍTICA DO PARANÁ NOS ANOS 50

WILSON MARTINS

RESUMO

O presente depoimento integra o conjunto de fontes do projeto "História Política do Paraná", em andamento no Instituto Paranaense de Desenvolvimento Econômico e Social — IPARDES*, que objetiva o estudo da construção e consolidação do Estado enquanto espaço do poder político institucionalizado. Além disso, procura analisar a interferência dos partidos políticos neste processo.

Para tanto, foram tomadas como referencial empírico, mensagens dos governadores à Assembléia Legislativa e os resultados das eleições majoritárias e proporcionais no Paraná, a partir dos dados existentes no Tribunal Eleitoral. Ainda, entrevistas e depoimentos (verbais ou escritos) de personalidades que desempenhando um papel de relevante destaque no cenário político paranaense, tanto em suas atividades político-profissionais, como também enquanto intérpretes da conjuntura em que viveram.

Wilson Martins, atualmente professor da "Faculty of ARTS and Science, Departament of Spanish and Portuguese Languages and Literatures — New York University", é considerado, por, entre outros, Brasil Pinheiro Machado (professor da Universidade Federal do Paraná) e Fausto Castilho (professor da Universidade Estadual de Campinas), um dos intérpretes mais significativos da história política paranaense (notadamente entre os anos 50 e 60) seja pela sua militância política, seja pela sua contribuição acadêmica.

* Integram a equipe do projeto: Ana Maria de Oliveira Burmester — Universidade Federal do Paraná, Francisco Moraes Paz — Universidade Estadual de Maringá, Marionilde Dias Brepohl de Magalhães (coordenadora), Neda Dustdar, Nelson Ari Cardoso e Viviane Ribeiro — técnicos do IPARDES, e os estagiários Alfeo Cappelari e Wânia Savazzi.

Autor do livro **Um Brasil Diferente**, Wilson Martins concedeu aos pesquisadores do IPARDES o depoimento que se segue, no qual expressa seu entendimento sobre a importância do Governo Munhoz da Rocha no processo de construção do Estado paranaense.

Pela riqueza dessas declarações e sugestões de estudos, julgou-se procedente publicá-lo para subsidiar as reflexões de outros pesquisadores desta área de conhecimento.

Creio que tudo ficará mais claro na história da política brasileira (e paranaense) neste último meio século se percebermos que todos os seus movimentos e episódios se condicionam por duas atitudes básicas e antagônicas entre si: contra ou a favor de Getúlio Vargas. Foi uma personalidade que não apenas estabeleceu os parâmetros do pensamento doutrinário e da práxis política nesse período, mas os conglomerou **psicologicamente** em posições irredutíveis, todas elas, bem entendido, racionalizadas e sublimizadas ou como defesa do princípio democrático e constitucional, a exemplo da revolução antigetulista de 1932, ou como estruturação de um programa socialista que não ousava dizer o seu nome.

Observo, mais uma vez, quanto a este último ponto, que, ao contrário do que se pensa e afirma, a Revolução de 1930 foi um movimento de tendências esquerdistas que sofreu uma guinada direitista a partir de 1933 quando os tenentes socialistas do Clube 3 de Outubro (que eram a ala esquerda do movimento revolucionário) cometeram o erro clássico de desafiar a disciplina e a hierarquia militar (como em 1964) — retomando, entretanto, em 1937 o trajeto socializante representado pelo Estado Novo. Que o encaremos como "de Direita" ou "de Esquerda", nem por isso foi menos um regime socialista: no que se refere à legislação do trabalho e medidas correlatas, é impossível distinguir uma da outra; ainda não apareceu quem demonstrasse as diferenças práticas entre os autoritarismos de Esquerda e os de Direita.

O Estado do Paraná começou, de fato, o seu processo de modernização, tanto no plano político quanto no administrativo e social, precisamente com a Revolução de 1930 e, mais precisamente, em 1932, com a instalação do governo

Manuel Ribas. Neste ponto, qualquer análise histórica se torna extraordinariamente mais complexa e deve levar em conta algumas singularidades sutis, muitas delas factuais e perceptíveis a olho nu, outras, ao contrário, simplesmente catalíticas. A mais importante é a que condicionou a criação, ideologia e realidade dos partidos políticos, inexistentes de 1930 a 1934: nesse período e tendo sempre a figura de Getúlio Vargas no eixo das articulações, a política brasileira e a paranaense dividiram-se em duas vertentes: os "carcomidos" da República Velha, completamente desmoralizados enquanto força política e influência ideológica, e, de outro lado, os "revolucionários" de lenço vermelho no pescoço. Em outras palavras, os getulistas e os antigetulistas.

A tendência socializante da Revolução determinou a nova estrutura constitucional de 1934 com a representação classista, que era o repúdio deliberado dos políticos profissionais, cuja legitimidade representativa assim se contestava. Ora, o parlamento classista era o primeiro mecanismo getuliano de neutralização da luta de classes e já se configurava como o embrião trabalhista de 1937, idealmente corporativo, aliás materializado na lei e na prática pela instituição do Ministério do Trabalho (primeiro ato do Governo Provisório, logo significativamente alcunhado, na linguagem jornalística, de "ministério da Revolução"). Há no getulismo uma coerência doutrinária e uma firmeza de propósitos que as apreciações apaixonadas e partidárias se recusam a reconhecer; um dos seus aspectos mais interessantes e decisivos é o que se pode chamar o **socialismo antimarxista**, a substituição do princípio dogmático da luta de classes pela institucionalização da idéia corporativa (com o que se desligou para sempre o estopim da revolução comunista entre nós).

A força das coisas fez com que a República Nova pusesse em execução o postulado da República Velha segundo o qual "governar é abrir estradas" (famoso apotegma do presidente Washington Luís); abrindo estradas, foi paulatina e cada vez mais rapidamente eliminando as tendências centrípetas da economia paranaense e, por conseqüência, consolidando Curitiba não só como capital administativa, mas como centro de poder (processo que continua em nossos dias, porque quanto mais estradas se abrirem, mais rapidamente circulará a economia e mais imperiosamente se fará sentir o centro cardíaco de comando do Palácio Iguaçu).

O primeiro passo nesse sentido foi a construção da Estrada do Cerne, no governo Manuel Ribas, simultânea com a abertura do "Norte Novo", que, em certo sentido, a impôs, fenômenos cuja interdependência econômica e política não é preciso acentuar. A Estrada do Cerne lançou um "programa" que os governos posteriores não poderiam nem puderam deixar de cumprir e que acabou integrando realmente o Paraná no que poderíamos denominar a sua vocação administrativa e política. O crescimento não só material, mas também psicológico, de Curitiba é concomitante a todo o processo. A princípio, a capital do "Norte novo" era São Paulo; já agora, é, inegavelmente, Curitiba, capital indiscutível de todas as regiões.

Retornando em 1945, os partidos políticos predeterminaram a própria perda na fragmentação esquizofrênica a que se entregaram, de forma a confirmar, mais uma vez, a sua tradicional falta de organicidade doutrinária. Contudo, ainda nesse período, continuaram a existir apenas dois partidos (com oscilações eventuais e pequenos arranjos oportunistas de tática eleitoral): o Getulista e o Antigetulista. Isso explica que nessa nova fase, não **apesar**, mas **por causa** da multiplicação de pequenas formações incaracterísticas e claramente insignificantes, só contavam, de fato, os dois partidos getulistas (PSD e PTB) em face do partido antigetulista que era a UDN, sintomaticamente encarado como reacionário — suspeita, de resto, amplamente justificada e de que jamais conseguiu se livrar.

Esse foi o quadro dos partidos políticos no Paraná, mesmo depois da queda de Getúlio Vargas (que elegeu Gaspar Dutra com uma simples frase de recomendação contra o candidato udenista proclamadamente "democrático") — e mais ainda após a sua morte. Claro, o PSD era o getulismo "de Direita" e o PTB o getulismo "de Esquerda", mas era tudo getulismo, corrente absolutamente indiferente a essas etiquetas mais ou menos vazias. Encurralando Getúlio Vargas numa situação desesperada e forçando-o ao suicídio, a UDN suicidava-se com ele no momento mesmo em que parecia vitoriosa; O PSD, isto é, o getulismo, voltaria com Juscelino Kubitschek e, no Paraná, com a série de governadores que desde então se sucederam até 1964. É curioso que a revolução pessedista desse ano (contra o petebismo delirante do governo Goulart) tenha correspondido, no Paraná, ao seu progressivo esvaziamento, fenômeno que, só por si, exigiria exegese específica.

Nesse contexto, os chamados pequenos partidos nada significavam, visto que, para existir eleitoralmente, foram sempre obrigados a alianças, nem sempre decorosas, com algum dos três grandes (eram comuns, por exemplo, as coligações UDN-PTB ou UDN-PSD). É igualmente duvidosa a sua representatividade de classes sociais específicas, sendo tão "burgueses" e trabalhistas o PSD e o PTB quanto qualquer dos outros, ressalvadas as ligações do primeiro com o "campo" e do segundo com o proletariado urbano. A UDN, sim, confundia-se com a alta classe média e com o capital, atraindo igualmente um segmento de intelectuais que não se sentiam bem no PTB nem no PCB; a este último, cuja representatividade enquanto "partido proletário" é altamente discutível e ainda depende de comprovação, filiava-se uma fração ainda mais reduzida de intelectuais. O verdadeiro partido dos intelectuais, por isso mesmo desesperançosamente minoritário e estranho à grande massa eleitoral, foi a Esquerda Democrática, vergôntea da UDN e núcleo do futuro Partido Socialista Brasileiro. Assim, um partido que se tinha por "socialista" derivava por cissiparidade de um outro pelo menos conservador, como a UDN, de seu lado, não hesitou um minuto em particicipar do governo pessedista de Gaspar Dutra, situação tanto mais incongruente e eloqüente a respeito das nossas firmezas e sinceridades ideo-

lógicas quanto este último era getulista e acabara de humi-
lhá-la nas eleições.

Nessas coordenadas, não vejo nenhuma correspondên-
cia necessária entre, de um lado, o programa e a práxis
dos partidos e, de outro, os movimentos sociais, como greves, insurreições ou lutas pela terra. É sabido que o PCB,
enquanto na clandestinidade, sempre os insuflou, mas é
também sabido que o PTB sempre se mostrou, nesse particular, da mais cautelosa prudência, assim se man-
tendo fiel às harmonias sociais do getulismo; claro, o PSD
e a UDN eram organicamente contrários a tal tipo de reivindicações. Contudo, o problema precisaria ser examinado
em pormenores táticos concretos à luz das rivalidades entre partidos: assim, por exemplo, uma greve estimulada ou
promovida pelo PCB encontraria com certeza a oposição efe-
tiva do PTB; ao mesmo tempo, o PCB jamais hesitou em
tirar proveito de tais movimentos mesmo quando instigados
por outros partidos. Ainda nesse contexto, pode-se dizer que
todos os governos do Paraná depois do de Munhoz da Rocha
(claramente elitista) foram populistas em maior ou menor
medida e assim continuam até hoje, porque essa, afinal de
contas, é a tendência dos tempos.

Não tive grande participação política nesse período, tendo permanecido sempre como simples e apagado observador
das gerais. Claro, fui oficial de gabinete do interventor Manuel Ribas, ao mesmo tempo em que só tinha amigos pessoais entre udenistas e antigetulistas, como Artur Santos,
Laertes Munhoz ou Munhoz da Rocha, com alguns poucos
pessedistas e trabalhistas (conheci, por exemplo, Sousa Na-
ves como modesto funcionário de escritório da Gazeta do
Povo, jornal em que então iniciava a vida profissional como
obscuro revisor). Passei rapidamente pela direção do Departamento Estadual de Cooperativismo e fui, em seguida, ad-
vogado do Estado no então Departamento de Terras e Colonização. Participei a essa altura como voluntário e kamikaze
na primeira campanha eleitoral de Munhoz da Rocha, o que
me valeu ser demitido sem demora logo que o vitorioso Moi-

sés Lupion assumiu o governo do Estado. Mas, foi o mesmo governador que, logo depois, nobremente me nomeou para a única vaga de Juiz de Direito Substituto da Capital, lugar que, classificado em primeiro lugar, conquistei em concurso de provas e títulos.

Daí por diante, qualquer atividade política me estava vedada, mas foi então que aproveitei as horas vagas para escrever **Um Brasil diferente**, publicado em 1955.

NOTAS DE LEITURA

CHALHOUB, Sidney. **Trabalho, lar e botequim;** o cotidiano dos trabalhadores no Rio de Janeiro da "Belle Époque". São Paulo, Brasiliense, 1986. 249 p.

FRANCISCO MORAES PAZ
Professor do Departamento de Ciências Sociais da Universidade Estadual de Maringá.

O tango venceu também sua etapa de escândalos, nesta velha cidade de Estácio de Sá. Seria mesmo para descrever os fóros de capital civilizada, dos quaes nos desvanecemos, se tal não pudesse, aqui, hoje ou amanhã, ser contestado. A principio, foram os severissimos paes da familia brazileira que não consentiram em que a innovação choreographica, modernisada em Pariz, invadisse os salões de seus palacetes. Era pouco, porem, porque o tango o dançavam em alguns clubs, e com elle as demais danças hodiernas, graciosas, monotonas, intensamente... requintadas.

O tango precisava escandalizar... E eis que a prohibição do maximo representante da Egreja de Roma no Brazil cahe subitamente sobre elle! Não mais podemos "tangear". E o tango venceu sua etápa de escândalo, no seio da sociedade carioca tambem. Somos, não ha duvida, um povo civilizado!

(A **Illustração Brazileira**, 16/02/1914. p. 56)

Sanear, urbanizar, "tanguear" — três pontos, entre outros, que dizem de uma preocupação da burguesia carioca no início do século XX: a construção de uma "civilização" nos trópicos, à semelhança dos padrões europeus. Para uma socie-dade que se pretende "moderna", a introdução de hábitos parisienses surge como um indicativo desta modernidade. Deslocar-se por largas avenidas, sem a ameaça das doenças tropicais, para dançar um tango eram provas irrefutáveis de que já nos incluíamos entre os povos civilizados...

Para um país que amplia sua inserção no capitalismo internacional, a cidade do Rio de Janeiro significa mais do que um simples entreposto comercial. A capital federal é o símbolo de um país que passa por profundas reformas, as quais asseguram o retorno dos investimentos estrangeiros e comprovam os esforços das autoridades para romper com nosso passado colonial. Já que não podíamos cortar as cabeças de nossos índios, restava vesti-los, calçá-los e cortar lhes os cabelos . . .[1]

O prefeito Pereira Passos (1902-06) e o sanitarista Oswaldo Cruz são os dois personagens centrais do projeto de modernização do Rio de Janeiro, o qual visava não só a "construção" de uma nova cidade, mas também de novas formas de pensar e agir de seus moradores. Estamos aqui assistindo ao ingresso de uma cidade (e, por extensão, de um país) na **Belle Époque**, processo ricamente analisado por Nicolau Sevcenko[2] e outros historiadores[3]. Temos agora, a contribuição de Sidney Chalhoub — **Trabalho, lar e botequim;** o cotidiano dos trabalhadores no Rio de Janeiro da **Belle Époque.**

Objetivando o estudo das "práticas ou mecanismos de controle social da classe trabalhadora típicos de uma sociedade capitalista" (p.31) e a leitura que esta classe faz de tais mecanismos, o autor investiga, através de processos criminais de homicídio ou tentativa de homicídio, o cotidiano dos trabalhadores. Estas fontes revelam tanto a atenção que os agentes jurídicos e policiais davam ao esquadrinhamento urbano, como as resistências desencadeadas contra tais investidas.

Tomando os noticiários do **Jornal do Comércio** e do **Correio da Manhã** de 19 de abril de 1907, Chalhoub apresenta os

---

1 O desconforto causado pelos "encontros" da burguesia carioca com os índios e mamelucos, particularmente nos momentos em que ela se reunia para comemorar ou mostrar aos visitantes ilustres as obras de modernização do Rio de Janeiro, foi registrado pela imprensa da época. Ver: SEVCENKO, Nicolau. **Literatura como missão;** tensões sociais e criação cultural na Primeira República. São Paulo, Brasiliense, 1983, particularmente o capítulo I.

2 SEVCENKO.

3 CARVALHO, José Murilo de. O Rio de Janeiro e a República; PECHMAN, Sergio e FRITSCH, Lilian. A reforma urbana e seu avesso; algumas considerações a propósito da modernização do Distrito Federal na virada do século. **REVISTA Brasileira de História,** 5(8/9). São Paulo, set. 1984/abr. 1985. p.117-138 e 139-195 /respectivamente/.

ROCHA, Oswald Posto. **A era das demolições:** cidade do Rio de Janeiro, 1870-1920. Niterói, Universidade Federal Fluminense, 1983.

personagens que compõem este intrincado universo de relações de sobrevivência: Antonio Domingos Guimarães, vulgo Zé Galego, português, e Antonio Paschoal de Faria, brasileiro, são os atores do primeiro ato. Rivais, pela disputa do amor de Julia de Andrade (ex-amante de Zé Galego e, na ocasião, amante de Paschoal), têm sua rixa aumentada ao discutirem num jogo a dinheiro. Dirigem-se, então, para um bar da rua Gamboa; as ofensas aumentam e Paschoal acaba disparando tiros de revólver. Tendo ferido mortalmente seu contendor, Paschoal foge e se refugia embaixo da cama da espanhola Josepha, "que relata seu embaraço no episódio, pois estava com seu amásio no quarto da casa de cômodos em que residia" (p. 16), onde foi preso.

Na delegacia, diversos companheiros de trabalho afirmaram que viram Paschoal disparar contra Zé Galego, acertando-lhe o olho. No tribunal, algumas destas testemunhas não compareceram e aquelas que o fizeram, apresentaram uma nova versão dos fatos — **ouviram dizer** que a vítima atirara primeiro e que o acusado somente se defendera. Confirmada a declaração do réu, ele foi posto em liberdade.

Aqui estão postos o cenário, personagens, conflitos e demais elementos de uma ocorrência aparentemente contraditória: rivalidade, homicídio, fuga, invasão e depoimentos. Acima de tudo, questões de sobrevivência. A cena não tem a rapidez pretendidda pela imprensa — a rivalidade e as ameaças eram anteriores. Os motivos não têm a futilidade nem a irracionalidade colocadas a partir da moral burguesa — entre outras coisas, "Julia era uma mulher formosa e cobiçada, por quem valia a pena correr o risco de matar ou morrer." (p. 20).

As contradições nos depoimentos, antes de anularem o valor das fontes, constituem um importante elemento de reflexão: como escrever História quando os fatos não são sólidos, quando é impossível saber o que realmente se passou... A possibilidade do historiador, segundo Chalhoub, está exatamente em partir do processo de produção das diferentes verdades, da existência de leituras divergentes sobre um mesmo fato para, então, desvendar os significados de cada construção, de cada representação. Creio que cruzamos com o pensamento de Foucault, quando este se refere à produção de um discurso[4].

À possibilidade de uma incompetência da polícia em elaborar flagrantes coloca-se a hipótese de uma reação popular à justiça e à polícia. Para concretizar um projeto "civilizante", para instituir uma ordem burguesa, é necessário impor um novo conceito de trabalho. Polícia e justiça investem violentamente sobre a classe trabalhadora, pois o controle social pretendido visa

> (...)todas as esferas da vida, todas as situações possíveis do cotidiano, (ele) se exerce desde a tentativa de disciplinarização rígida do tempo e do espaço na situação de trabalho até o problema da normatização das relações pessoais ou familiares dos trabalhadores, passando, também, pela vigilância contínua do botequim e da rua, espaços consagrados ao lazer popular. (p. 31)

Sobrevivendo... trata dos conflitos entre trabalhadores, relacionados com a reprodução da vida material, particularmente, aqueles "que emergem de situações no trabalho e de questões ligadas ao problema de habitação" (p.35). Destacam-se as questões de etnia e nacionalidade — num mercado de trabalho caracterizado por uma oferta de mão-de-obra maior que a demanda, as disputas se colocam no plano da competição para garantir as condições de sobrevivência; o ex-escravo, acusado de indolente, enfrenta o imigrante em condições desvantajosas.

O discurso das autoridades partia do princípio de que a Abolição ameaçava a ordem social. O projeto de repressão à ociosidade de 1888, do ministro Ferreira Vianna, visava reintroduzir os libertos despreparados na sociedade através do trabalho. Partindo da idéia de que os indivíduos são devedores desta sociedade, pelos benefícios que ela lhes proporciona, cabia a estes saldar suas dívidas através do trabalho.

---

4 FOUCAULT, Michel. Verdade e poder. In: **Microfísica do poder**. Rio de Janeiro, Graal, 1982. p. 1-14.

A construção de um novo conceito de trabalho passa pelo pressuposto de que ele é o "elemento ordenador da sociedade" (p.43), revestido de profunda moralidade e capaz de afastar os indivíduos do crime. O contraponto do trabalho é a vadiagem — "ato preparatório do crime" (p.47) —, daí a relação entre "classes perigosas" e "classes pobres".

O universo ideológico das classes dominantes opõe o mundo do trabalho ao mundo da ociosidade e do crime. Assim, o autor parte da hipótese da utilidade deste sistema, pois "ele justifica os mecanismos de controle e sujeição dos grupos sociais mais pobres" (p. 51).

Os processos relatados neste capítulo estão agrupados em três casos diferentes, de acordo com os personagens e as situações. No primeiro grupo estão os crimes que envolvem os **companheiros de trabalho**, onde se observa a grande incidência de conflitos entre imigrantes e nacionais (geralmente pretos ou mulatos), sendo que aqueles manifestam-se solidários entre si. As brigas tinham origem por questões de trabalho e ocorriam no botequim, onde elas "podiam ser resolvidas sem pôr em risco os meios de sobrevivência dos contendores" (p. 63). O autor observa ainda que uma das estratégias de defesa do acusado não é negar sua infiltração à ordem, sim apresentar-se como um indivíduo trabalhador.

No segundo grupo, temos os conflitos entre **patrões e empregados** que tinham pouca incidência, dado que as relações entre estes se revestiam de um caráter paternalista. Os patrões eram, muitas vezes, tidos como "pais" ou "amigos" de seus empregados, que freqüentemente recorriam a eles na busca de proteção. A análise dos processos atesta a existência de uma verdadeira identidade cultural: residências e cotidiano eram compartilhados; os patrões (em particular, aqueles que foram antes empregados) eram tomados como exemplo da possibilidade de ascensão social. Os conflitos, em geral, ocorriam entre os empregados e representantes dos patrões (os gerentes por exemplo), e eram mais comuns nas empresas que apresentavam "maior grau de hierarquização das posições no trabalho (...), pelo menos em empreendimentos econômicos de pequeno ou médio porte." (p. 84).

Finalmente, no terceiro grupo de processos, estão aqueles referentes a conflitos entre **senhorio e inquilino**. A reforma urbanística realizada por Pereira Passos, no governo de Rodrigues Alves, ocasionou um enorme déficit habitacional — antigas hospedarias do centro da cidade deram lugar às largas avenidas, agravando as já péssimas condições de sobrevivência das classes populares. Ainda, estas reformas colocaram em choque dois grupos de interesses distintos: a burguesia ligada às importações, construção civil e transportes; e a pequena burguesia, em grande parte constituída por imigrantes portugueses, ligada ao aluguel de casas de cômodos e ao pequeno comércio. A garantia de um local para morar dependia, muitas vezes, da rede de solidariedade entre as classes populares.

Do estudo destes processos, resulta a oposição do autor quanto ao entendimento das relações de controle social unicamente como relações nas quais a classe dominante é sujeito e a classe trabalhadora objeto da dominação. Há de se considerar, também, a reprodução destas relações pelas próprias representações mentais dos trabalhadores, isto é, "existem elementos na visão de mundo da classe trabalhadora que a transformam, em certos aspectos, em agentes inconscientes de sua própria dominação." (p. 102).

As divisões nacionais e raciais — questões centrais dos processos estudados — colocam-se como obstáculos ao processo de tomada de consciência das classes populares. A competição, elemento básico na ética do novo trabalho, também está presente, porém, de forma ambigua: se por um lado o mundo do trabalho é conflituoso, dadas as necessidades de sobrevivência, por outro, estas mesmas necessidades geram laços de solidariedade. Detendo-se no caso específico dos estivadores, Chalhoub observa que eles se dividiam quanto à relação com os patrões: para alguns ela era paternalista, para outros, conflituosa. O ato de competir, por sua vez, levava o trabalhador a

(...) se autoconceber como um "ser" individual, solitário, "livre", e não como um "ser" produto de um conjunto de relações sociais específicas.

História: Questões & Debates, Curitiba 7(12):87-108 Jun. 1986

Assim, criar organizações fortes para reivindicar direitos de classe era uma experiência difícil e contraditória para os estivadores. (p. 108)

O segundo capítulo — ... **Amando** ... — dirige-se para o estudo dos padrões de comportamento da classe trabalhadora nas suas relações de amor, as quais deviam se pautar pelos padrões morais da ordem burguesa. Eventuais desvios eram apontados como "patologia social"; os comportamentos desviantes levavam à promiscuidade, à desordem, à desagregação da família. Para o autor, o que se coloca não é o patológico, e sim a compreensão da racionalidade do viver dos trabalhadores.

O modelo dominante de relação homem-mulher é determinado pelos discursos médico e jurídico. O homem, "desprovido de terras e escravos e disciplinado sexualmente, (...) tinha como compensação a propriedade privada da mulher" (p.119). Resta saber, segundo o autor, se efetivamente o comportamento das mulheres refletia o "esforço educacional detonado pela classe dominante da sociedade" (p. 122).

Dentre as observações levantadas, a primeira se refere aos profundos laços de solidariedade existentes entre parentes, compadres e amigos — indivíduos que, pelo déficit habitacional, compartilhavam as residências, de modo que os conflitos de um casal passavam a ser conflitos de vários. Ainda, podem ser decorrentes do rompimento dos rituais de solidariedade, o que representa uma ameaça à sobrevivência.

A segunda observação, partindo do Censo do Distrito Federal de 1906, se refere à superioridade numérica das mulheres trabalhadoras. Mesmo que o trabalho consistisse numa "extensão das suas funções domésticas" (p.37), ele garantia às mulheres pobres uma relativa independência de seu companheiro. Também eram as mulheres que, na maior parte das vezes, asseguravam os laços de solidariedade requeridos. Isto acrescido do fato das mulheres terem mais condições de escolha do companheiro — pois eram em menor número — assegurava-lhes "uma participação mais ativa no desenrolar de toda uma relação amorosa, não se submetendo passivamente aos anseios de dominação do homem." (p.142).

Daí a conclusão de que a violência masculina pela "defesa da honra" era mais uma manifestação de fraqueza do que uma demonstração de autoridade — "O ato de matar a ex-amásia é um ato de quem se vê incapaz de exercer um certo poder sobre uma outra pessoa." (p.145). As relações homem-mulher apresentavam uma maior simetria e a violência masculina era respondida com a troca de companheiro.

Os processos mostram que a violência nas questões de amor era mais freqüente entre os homens que disputavam uma companheira do que contra a mulher. Da mesma forma, nos tribunais onde prevaleciam as representações da ordem burguesa, antes de se avaliar um criminoso passional, avaliava-se o comportamento da mulher.

Finalmente, ... "Matando o bicho" e resistindo aos "meganhas" é o capítulo que aborda o mundo do lazer e a repressão policial. As reformas da capital da República se situam num projeto "totalizante" e "autoritário". Totalizante por pretender, além de mudanças materiais, impor um novo modo de vida; autoritário por desconsiderar os efeitos que causaria a diversos segmentos da sociedade. Entretanto, ao tentar construir o mundo à sua própria imagem, a burguesia teve de se contentar "com uma imagem, no mínimo, bastante imperfeita." (p.170).

Transformar o homem livre em trabalhador, introjetar uma nova ética de trabalho, impor um modelo universal de família são tarefas que requerem o esquadrinhamento do mundo do não-trabalho sobre o qual incide a repressão policial. A contrapartida deste projeto está na reação do trabalhador à tentativa de destruição de seus valores — Chalhoub mostra a existência de uma cultura popular, relativamente autônoma, que resiste à modernização.

O botequim e o quiosque eram espaços de lazer associados à desordem e à vadiagem, logo, objetos de investida das práticas moralizadoras — especialmente o quiosque, armação de madeira em torno da qual os populares se uniam para beber e conversar. Pereira Passos tratou de fazê-los desaparecer, pois aí ninguém zelava pela ordem, sequer seu proprietário (as brigas se davam na rua). O proprietário do botequim, ao contrário, zelava pela ordem, pois uma briga ameaçava seu patrimônio; por isso, apesar da sua condição de proprietário fundamentar um antagonismo com os fregueses, ele acabava estabelecendo uma rede de solidariedade com determinados clientes.

A oposição maior se dava entre os populares e os aparelhos policial e jurídico. Os "meganhas" — policiais na gíria da época — além de hostilizados eram ameaçados e humilhados. Num "mundo" de códigos próprios, o policial era um intruso e, se eventualmente interviesse numa briga, os contendores esqueciam suas diferenças imediatas e investiam contra ele.

As instituições jurídicas também inspiravam uma profunda desconfiança, que se expressava por dois motivos: aqueles que prestavam depoimento à polícia, quando de uma infração à lei, dificilmente eram localizados na hora do julgamento ou, caso compareciam, alteravam o depoimento anteriormente dado. Inabilidade policial em elaborar inquéritos ou solidariedade do populacho? Mais provável, é a dupla ocorrência.

Pensar, portanto, o projeto modernizador do Rio de Janeiro implica pensá-lo como um fato cultural e político, pois há de se reconhecer a existência de padrões culturais independentes e próprios dos trabalhadores, "engendrados a partir de sua prática real de vida." (p.206). A criminalidade não se explica unicamente por grandes abstrações, tais como "contradições estruturais", que acabam por reforçar a lógica dominante: todo miserável é um criminoso em potencial. É preciso entendê-la no interior das relações cotidianas de vida de seres humanos concretos.

Para os teóricos da patologia social, a miséria leva à destruição da família, à criminalidade, ou seja, à total ausência de normas. Entretanto, para Chalhoub, os processos apontam para a existência de uma racionalidade própria das classes trabalhadoras e o fato de ela não se situar nos padrões extrínsecos a esta classe não significa que inexistia:

(...) os populares estavam imbuídos de normas próprias reguladoras de suas desavenças, possuíam noções próprias de justiça e, quando envolvidos em situações de conflito, seguiam rituais de conduta que mostravam apego a valores muitas vezes opostos àqueles desprezados pela classe dominante. (p. 210)

Rixa, desafio e conflito: três momentos distintos da violência. A primeira resulta de tensões dentro de um determinado grupo; o desafio precede o conflito propriamente dito, sendo marcado por uma linguagem machista que, de certa forma, "informa aos presentes que a cena de sangue está próxima" (p.223). Os presentes, por sua vez, pouco interferem e, quando o fazem, acabam sendo agredidos pelos contendores. Resta-lhes, não ferindo as normas, observar a luta ou a fuga do(s) agressor(es). A interferência numa luta indefinida significa um corte numa possibilidade legítima de solução de conflitos. Ainda que a violência não seja o único ou principal mecanismo de ajuste entre os homens, ela se situa dentro de normas e regras — os homens não se enfrentam por razões instintivas, mas de acordo com uma dada cultura.

O percurso de Sidney Chalhoub, indiscutivelmente, nos remete ao lado pouco charmoso da sociedade carioca — se o tango venceu, nem todos puderam usufruir dos prazeres desta inovação coreográfica. Isto, contudo, não retira a beleza do trabalho em si.

A capacidade de "estranhar" as imagens de seu tempo, a tentativa de compreender "como e por que coisas e pessoas se fizeram assim" levaram o autor até Zé Galego, Paschoal e Júlia. Se as inquietações o remeteram ao passado, os resultados nos trouxeram ao presente. Seu trabalho "serve para agora, quando tantos continuam, às vezes em generosos movimentos, a encerrar as classes populares em padrões disciplinadores".[5]

Os trabalhadores não se situam como objetos de um projeto modernizador, suas práticas os fazem sujeitos da política e da cultura. A irracionalidade da violência cede às ati-

5   PINHEIRO, Paulo Sérgio /comentário/. FOLHA de São Paulo, 04/5/1986. p.92.

tudes de preservação de uma existência concreta. A mulher, para desconforto de certas militâncias, não está submetida às determinações machistas; pelo contrário, tais manifestações evidenciam os limites do poder de dominação de seu companheiro.

Questões como estas convidam a refletir a possibilidade proposta pelo autor de reinventarmos nossas existências. Não cremos ser impróprio acrescentar — "Articular historicamente algo passado não significa reconhecê-lo 'como ele efetivamente foi'. Significa captar uma lembrança como ela fulgura num instante de perigo".[6]

RAGO, Luzia Margareth. **Do cabaré ao lar; a utopia da cidade disciplinar: BRASIL 1890-1930.** Rio de Janeiro, Paz e Terra, 1985. 290 p.

MARIONILDE DIAS BREPOHL DE MAGALHÃES
Historiadora, técnica do Instituto Paranaense de Desenvolvimento Econômico e Social — IPARDES.

WÂNIA SAVAZZI
Estudante do Curso de História na Universidade Federal do Paraná. Estagiária no Projeto "História Política do Paraná", do Instituto Paranaense de Desenvolvimento Econômico e Social — IPARDES.

A história que Margareth Rago apresenta sobre as primeiras décadas deste século não é só uma novidade pelos aspectos que ela aborda e que não foram ainda contemplados por outros historiadores; sua riqueza consiste em propor a realização de uma história acontecimental, cuja importância foi negada por boa parte dos historiadores no Brasil que, preocupados em evitar uma história fatual, acabaram por atribuir aos diversos agentes sociais um caráter de imobilidade.

Rago, ao descortinar a historiografia que não enxerga um processo de industrialização desde o início do sé-

6 BENJAMIN, Walter. Teses sobre filosofia da história. In: Walter Benjamin. São Paulo, Ática, 1985. p.156.

culo XX, nega que as práticas de resistência à dominação capitalista possam se resumir apenas às atividades sindicais e político-partidárias. A desobediência ao trabalho regulado pelo tempo e por normas internas no interior do processo fabril é entendida como uma forma de rejeição do imaginário burguês de dominação.

Como apoio teórico, a autora lança mão de M. Foucault e E.P. Thompson. Apesar de atuarem em territórios diferentes, esses autores abrem, perspectivas de análise sobre outros campos da dominação burguesa. Ao primeiro, importa entender o significado da ação disciplinar de inúmeros agentes na produção do cotidiano e, ao segundo, a questão da experiência de classe e do fazer de uma cultura de classe.

Metodologicamente, Rago aproxima a imprensa operária, como expressão de sujeitos responsáveis pela sua própria história, às práticas de mobilização de um amplo arsenal de conhecimentos e de técnicas coercitivas a favor de um projeto global de dominação. Para cada tema abordado (higienização da fábrica, colonização da mulher, preservação da infância e desodorização do espaço urbano), evidenciam-se no texto a forma de dominação e as resistências dos trabalhadores para preservarem suas tradições, sistema de valores e costumes.

Ainda o que nos chamou a atenção foi o fato de as bandeiras anarquistas não serem lidas como "fenômenos" a serem explicados pelo cientista social. Procura-se captar o anarquismo naquilo que ele se propôs ser, ou seja, é apresentada uma compreensão do poder que se recusa a percebê-lo apenas no campo institucional, mas em todos os territórios da vida cotidiana.

O capítulo dedicado à disciplinarização do tempo e do espaço no interior da fábrica nos leva a pensar o poder em suas estruturas moleculares; relações que não são contempladas pelas categorias da análise que privilegiam um enfoque macro, tais como modos de produção, estado instrumento de classe, mais-valia e outros. Ao lado do esquadrinhamento de toda uma economia de gestos, imposta pelos segmentos da sociedade, cuja tarefa é constituir o projeto político disciplinador, apresenta a autora a oposição da classe operária:

> O questionamento prático da lógica da organização capitalista do trabalho assume expressões diferenciadas, como o roubo de peças, a destruição de equipamentos, a sabotagem, o boicote, além de greves, e são positivamente valorizadas pelos anarquistas e anarco-sindicalistas como manifestação da ação direta (...) que trazem em si caráter revolucionário no sentido de transformação da sociedade (p. 27).

Os diversos movimentos anarquistas recusam a lógica do partido e remetem sua oposição em formas difusas, efetivadas no interior da produção, traduzindo-se em uma prática radical de contestação ao modelo burguês.

> Ao se recusarem a obedecer às normas do trabalho e aos ritmos produtivos impostos pelo capital, esta contra-organização dos trabalhadores manifesta uma tendência no sentido de determinar as regras de comportamento e de organizar sua própria atividade, apontando para a gestão autônoma da produção (p. 27).

A socialização das lutas operárias, cada vez mais intermitentes, pressiona à luta os patrões, que criam associações para defesa de seus interesses já na década de 20, articulando-se às forças repressivas do Estado. O fortalecimento do patronato permitirá uma aproximação das entidades dos empregados, desenvolvida sob forma de "benefícios" tais como escolas, armazéns, farmácias e assistência médica. Para reforçar o dispositivo ideológico de que trabalho e capital podem se harmonizar, elabora-se a imagem de uma grande família que ultrapassa as organizações e entidades, adentrando o espaço fabril e o espaço urbano. O discurso médico se encarregará de construir a fábrica hierarquizada e asséptica contra toda sorte de doenças, discurso que o Estado se apressa em apoiar.

A fábrica à imagem do lar pauta-se pelos princípios de administração científica propostos por Taylor e dá conta de tratar o trabalhador, enquanto indivíduo, no detalhe. Salários diferenciados a partir de um critério científico jogam de lado o aspecto subjetivo da dominação patronal: a qualificação do trabalho assume uma objetividade e exterioridade baseadas em critérios técnicos. A tecnologia, como um saber neutro, não é criticada pelos anarquistas, que a vêem como um elemento liberador — progresso e técnica estão, em todo o imaginário social, indissoluvelmente associados.

A infância, por sua vez, será redefinida a partir do saber médico e a criança elevada à condição de figura central da família. Esta mudança, identificada por Margareth Rago, através dos relatórios de congressos e teses de medicina social, fora anteriormente analisada por Foucault:

> O laço conjugal não serve mais apenas (nem mesmo talvez em primeiro lugar) para estabelecer a junção entre duas ascendências, mas para organizar o que servirá de matriz para o indivíduo adulto.[1]

Ao discorrer sobre o menor abandonado, a autora atenta para um novo imperativo que se coloca e referente a este segmento da população: o da regeneração física e moral das crianças desamparadas. As instituições assistenciais devem preparar as crianças, ameaçadas de contaminação nas ruas, para o futuro; à escola caberá a internalização de hábitos e comportamentos dóceis para o exercício futuro do trabalho.

A atenção detalhada que passa a merecer o corpo da criança, assim como o da mulher, favorecerá a que a medicina caseira ceda lugar rapidamente à medicina científica: vacinas, antibióticos, sanitarismo, anunciam a urgente necessidade de prevenir o mal. Os remédios caseiros não são usados positivamente em momento algum; o monopólio do saber e sua utilização precisam ter um só autor: o médico.

A imprensa operária também se ocupa intermitentemente da questão do trabalho infantil. Seu discurso remete a criança à escola. Os patrões, por sua vez, vêem no trabalho infantil uma função moralizadora, pois impede a vagabundagem — as crianças são incorporadas à fábrica como um ato de caridade, dado seu caráter educador.

---

1 FOUCAULT, Michel. **Microfísica do poder.** 3.ed. Rio de Janeiro, Graal, 1984. p.201.

Negado pelos anarquistas, o trabalho infantil é conde-
nado por provocar degeneração física e moral e, também,
porque a exclusão deste segmento do mercado de trabalho
garantiria ao adulto uma melhoria salarial. Tampouco os
anarquistas aceitam tacitamente o modelo de escola disciplinar defendido pelos burgueses. Crianças obedientes, competi-
tivas, individualizadas asseguram com toda a certeza, uma
massa de adultos preparados para construir o progresso e a
riqueza da nação.

Escolas, fábricas, instituições médico-sanitárias fazem
parte de um conjunto de espaços públicos higienizados, a que
somaríamos também os portos, os navios, quartéis e prisões.
Estas mesmas normas que regram o espaço público vão penetrar a casa do trabalhador. O saneamento da cidade, promovido por engenheiros, arquitetos e sanitaristas expressam
uma das formas acabadas de gestão do poder disciplinador
sobre a população:

> Tanto na perspectiva da higiene pública quanto na dos
> industriais, a classe operária juntamente com toda a po-
> pulação pobre é, portanto, representada como animalidade
> pura, dotada de instintos incontroláveis, associada a chei-
> ros fortes, a uma sexualidade instintiva, incapaz de expri-
> mir sentimentos delicados... o pobre é o outro da bur-
> guesia: ele simboliza tudo o que ela rejeita em seu uni-
> verso. (p. 175).

Por isso mesmo, há que se interferir planejadamente
nos mínimos detalhes da vida cotidiana do trabalhador, ins-
talando uma disciplina que designa novos modos de higiene
pessoal e de vida.

Cria-se, para tanto, vilas operárias na periferia das cidades; vilas, antíteses dos cortiços, que asseguram um maior
controle sobre o cotidiano dos trabalhadores. Longe do centro da cidade, o lazer, a economia e as amizades estarão
enclausuradas em um micro universo onde todos se obser-
vam, se espiam, se controlam; quem casa, quem se perde,
quem tem o filho mais comportado, o jardim mais florido,
etc. Os poderes diluídos nos especialistas da saúde e da habitação passam a penetrar as relações entre moradores da

vila que vigiam a moralidade do outro. No interior da casa, esta vigilância se torna densa: o quarto da infância (sexualidade interdita), o quarto do casal (o lugar da sexualidade), a sala de visitas (horizonte da sociabilização), a cozinha (recanto feminino)... permeando todos eles, a figura da mulher.

Do cabaré ao lar: a colonização da mulher

Até aqui, temos vivido a civilização uni-sexual, a mulher não passou de espectador no cenário da vida.

(Maria Lacerda Moura, 1910)

Em 30 anos de feliz vida conjugal, dei à luz 16 crianças... minhas nove meninas e meus seis rapazes, muito apreciados e queridos, receberam vários prêmios nos trabalhos escolares e nas competições esportivas. Os mais velhos obtiveram bons empregos, e quatro já casaram, sendo igualmente felizes. Freqüentam todos a Igreja; só o mais velho é que fuma e nenhum bebe.

Este ano, quando Tonny, o caçula, me beijou, e saiu, todo alvoroçado, para o seu primeiro dia na escola, de pé, junto à janela, desatei a chorar. Casei-me aos 18 anos, e durante vinte e nove, tivemos sempre um garotinho em casa. Agora, tendo o último crescido, ia ficar sozinha... Não pretendo afirmar com isto que a minha vida de casada tinha ocorrido sempre em branca nuvem. Dias houve em que me senti exausta e sem coragem... Recordo-me bem da tarde em que avisei o médico de que o meu décimo-quarto bebê estava por vir... Ele procurou levantar-me o ânimo: lembra te, de que a mão que balança o berço, governa o mundo.

Voltei, de espírito abatido, a cuidar do jantar. Encontrei a casa toda enfeitada com flores que os pequenos haviam colhido. Duas das meninas preparavam a refeição... Os meus filhos mais velhos,... recomendaram-me repouso. Tomei então nos braços todos os que neles couberam, e lágrimas felizes inundaram-me o rosto. Senti-me envergonhada por ter podido duvidar um só instante do que vale ser mãe. (Sra. Klosterman)[2].

2 Extraído pelas autoras desta nota de leitura de Seleções do Reader's Digest, abr.1942.

Nessas notas de leitura, nossas atenções se voltaram para o capítulo referente à mulher, por constituir essa questão o ponto fundamental detonador do novo projeto de vida forjado pelo imaginário burguês para a sociedade do trabalho. O papel da mulher — redefinido em fins do século XIX e que só adquirirá o estatuto de "objeto a ser negado" na década de 60 do século XX, ainda que para uma boa parte da população ele não tenha sido tocado em um aspecto sequer — inscreve-se, de maneira fundamental e sutil, na tarefa de silenciar as resistências operárias.

A colonização da mulher é um dos meios mais eficazes para transformar o tempo de não-trabalho à imagem do cotidiano na fábrica. É com a desodorização do espaço privado da fábrica e a higienização dos papéis representados no lar que se projeta a utopia da superação da luta de classes. A família nuclear voltada para si mesma, numa habitação aconchegante a seduzir o espírito do trabalhador, configura-se um momento de decisiva importância para a história política das sociedades industriais.

A estratégia da volta ao lar vai se valer da promoção de um novo modelo de feminilidade. A esposa, dona-de-casa, mãe de família — guardiã dos seus e da nação — será peça chave para o projeto dominador.

> Frágil e soberana, abnegada e vigilante, um novo modelo normativo de mulher, desde meados do século XIX, prega novas formas de comportamento e de etiqueta, inicialmente às moças das famílias mais abastadas e paulatinamente às das classes trabalhadoras, exaltando as virtudes burguesas da laboriosidade, de castidade e de esforço individual. (p. 62).

Enquanto a sociedade industrial prepara, na cidade (cafés, praças, sindicatos e demais agremiações) uma presença ativa da mulher, a representação simbólica a ela conferida dá conta de enclausurá-la na esfera do lar. Às mulheres ricas, impõe-se uma boa educação para prepararem-se para o casamento. Às pobres e solteiras, viúvas ou abandonadas, as fábricas, escritórios comerciais, serviços em lojas. Estas alternativas de trabalho não lhes permitem escapar ao estereótipo do pecado e ao sentimento de culpa por estarem ocupando um espaço que não é propriamente o seu. Some-se a isto, o fato de que fora do lar elas estão permanentemente em perigo de perder-se e prostituir-se, pois são uma presa fácil das paixões e sucumbem à menor tentação, além de submeterem-se aos seus capatazes.

Na oferta de trabalho, as chances profissionais são as menos qualificadas, pois a mulher não foi preparada para atividades especializadas. Enfermeiras, educadoras, secretárias, telefonistas, floristas, empregadas domésticas reeditam aquilo que o imaginário social entendeu ser seu papel: o de auxiliar ou mãe dedicada, mesmo fora do lar, sem uma referência em si mesma.

O movimento operário, liderado por homens, atua no sentido de fortalecer a função disciplinadora de deslocamento da mulher da esfera pública do trabalho e da vida social para o serviço do lar. A mulher, mesmo para os operários, deve se realizar através dos filhos e do marido.

No lar, ela é mais um membro da família a ser liderado pelo homem; carente de cuidados e proteção como as crianças, querem afastá-la da fábrica não por um argumento que ressalte a pressão salarial que sua atividade exerça, mas por argumentos ligados aos efeitos morais de sua presença na fábrica.

A imprensa operária se refere muito pouco à mobilização e resistência especificamente femininas. Contudo, elas estão presentes nas greves e protestos contra disciplinas internas da fábrica, bem como contra a redução dos salários. Nesses casos, recorre-se ao argumento da perplexidade: até as mulheres, em sua fragilidade e submissão, revoltam-se contra a dominação burguesa. Mas onde reside esta fragilidade? Líderes de movimentos, acumulando funções de donas-de-casa e trabalhadoras, quase não se lhes atribui, mesmo em quase toda imprensa anarquista, o direito à fala.

O discurso médico-sanitarista dará ênfase ao aleitamento materno natural, condenando o aleitamento mercenário: para a medicina social, a mulher não é necessariamente frágil.

Dentro de casa, que é o seu lugar, ela é concebida como soberana forte e guardiã do lar. Tudo o que ela tem a fazer é aceitar o quão importante é sua missão.

O argumento contra o aleitamento mercenário faz crer que este se dirige exclusivamente às mulheres ricas, que não amamentam seus filhos por razões estéticas. Mas tal argumento também é válido para todas as categorias sociais, onde se passa a identificar a recusa ao aleitamento com a vaidade e o narcisismo. Além disso, condena-se a prática mercenária, porque as nutrizes podem contagiar o impoluto lar de doenças as mais diversas e sua presença transmite vícios de toda a sorte. Ao contrário, o amor materno é exaltado como sentimento inato, puro e sagrado, cujo prêmio consiste numa relação mais sólida entre os membros da família. A mulher passará a exercer poder sobre filhos obedientes, sobre o lar higienizado (por ela mesma) e, fundamentalmente, sobre o marido; quanto mais eficiente for exercido este poder, maior garantia terá de um marido fiel, ordeiro, bom pai, longe dos prostíbulos e dos bares.

Criada à imagem de Maria Mãe de Deus, dessexualizada e pura, em oposição à pecadora sujeita aos prazeres da carne, o seu outro será também objeto de observação dos saberes médicos e das autoridades públicas. A masturbação tanto quanto a prostituição são consideradas vícios, ligados à ociosidade, preguiça, amor ao luxo e desprezo pelo lar. Quanto à mulher pobre que se prostitui, atribui-se-lhe a imagem da criança ou do selvagem que necessita dos cuidados do Estado.

Ferreira de Macedo, médico sanitarista, tem o cuidado de classificar a prostituição dividindo-a entre pública e clandestina. A prostituição pública é praticada por trabalhadoras que cedem a ela para aumentar sua renda. Quanto às prostitutas ociosas, estas se estabelecem em ambientes aristocráticos ou em estalagens e bordéis e são vistas com maior tolerância pela sua função social de equilíbrio da sexualidade instintiva dos homens.

O segundo grupo, o das prostitutas clandestinas, consiste de mulheres casadas, viúvas, solteiras ou abandonadas (mulheres em boas condições que cedem à tentação) e as de baixa condição (livres, escravas, alforriadas, casos fortuitos de homens casados). Finalmente, enquadram-se aí as práticas anti-físicas, como as lésbicas, as que praticam o coito contra a natureza, o onanismo, os pederastas.

Esta classificação, conforme Margareth Rago, ajuda a identificá-las facilmente pelas roupas, costumes, lugares que freqüentam, atividades que exercem. Da mesma forma, observa-se uma preocupação em delimitar o espaço da prostituição, tentando impor às prostitutas

> um modo de vida rígido e conventual, onde todos os horários, gestos, hábitos e maneiras de vestir sejam calculados e controlados. A prostituta e a casa de tolerância deveriam ser totalmente transparentes à vigilância panótica da polícia de costumes e da polícia médica. E, sobretudo o modelo da intimidade burguesa deveria prevalecer no interior dos bordéis. (pg. 93).

O discurso anarquista relativo à condição feminina, oscila entre uma postura paternalista, que vê na mulher uma figura frágil a ser protegida pelo homem, até posições favoráveis a uma radical emancipação da mulher. Estas têm como principais defensoras, as próprias mulheres.

Maria Lacerda Moura, por exemplo, combate o próprio discurso anarquista com relação à submissão da mulher, à qual contrapõe a combatividade, a independência, a força e as lutas pela transformação de sua realidade cotidiana. Nesse sentido, não vale lutar apenas contra a dominação no interior da fábrica, mas pelo acesso à instrução, contra a idéia de pátria que à mãe educadora impõe-se inculcar nos filhos, contra a imagem que a coloca à sombra do marido. Além disso, propõe que a liberação não seja apenas para a operária, mas para a mulher de qualquer classe social.

Também não crê na emancipação através de reformas das leis vigentes, por serem estas incapazes de salvar as mulheres de humilhações. A conquista do espaço público não é suficiente para sua emancipação. Mesmo aí, ela se submete ao homem, pois este só lhe dá o direito de sair de casa se for para o trabalho. Finalmente, a exploração da mulher, vista dentro de um contexto mais amplo de dominação não pode e não deve passar pela ditadura do partido político — "a vida não cabe num programa"; pois a mudança nas condições de produção não garantem uma mudança da já consagrada hierarquia doméstica.

Outra militante anarquista do início deste século, Emma Goldman, colocava que nas relações entre os sexos, na relação amorosa se criavam os laços de servidão das mulheres e que, sem rompê-los, nenhuma reforma social poderia dar-lhes uma liberdade que elas próprias não queriam:

> (...) precisamos desembaraçar-nos das velhas tradições, dos hábitos ultrapassados, para então ir em frente. O movimento feminista deu apenas o primeiro passo nessa direção. É necessário que se fortaleça para dar o segundo passo. O direito de voto, a igualdade civil, podem ser reivindicações justas, mas a emancipação real não começa nem nas urnas nem nos tribunais. Começa na alma de cada mulher. A história nos ensina que em todas as épocas foi por seu próprio esforço que os oprimidos se libertaram de seus senhores. É preciso que a mulher aprenda essa lição: que a sua liberdade se estenderá até onde alcance seu poder de libertar-se a si mesma. Por isso, é mil vezes mais importante começar por sua regeneração interior: derrubar o fardo dos preconceitos, das tradições, dos hábitos (...).[3]

Crítica à virgindade e defesa do amor livre são temas, entre outros, amplamente discutidos nos meios anarquistas e proletários em 1910. Questiona-se a institucionalização das relações efetivas, fundadas em interesses econômicos, e à divisão dos papéis no interior do lar.

Estas preocupações vão ressurgir, na década de 60, com o movimento feminista, cujas principais reivindicações se estendem desde a violência exercitada pelo homem, à questão da saúde, à ideologia, à formação profissional até a sexualidade. Tais bandeiras, consideradas inéditas pelas atoras destes movimentos, em 1910 são colocadas não como

3 LOBO, Elizabeth Souza. **Emma Goldman**. São Paulo, Brasiliense, 1983. p.81-2.

uma luta em si mesma, mas como uma resistência ao modelo de feminilidade que passará, nos momentos de não-trabalho, a recolher à intimidade do lar, pessoas que como agentes históricos insistiam em questionar cotidianamente às táticas de dominação; tal enclausuramento, não só dela mas dos demais membros da família, desempenha, entre outros papéis, o de internalizar a disciplina da fábrica no espaço das relações afetivas.

Nesse sentido, pensar a liberação da mulher, ontem e hoje, só se reveste de sentido quando se ultrapassa a esfera privada da dominação: procedimento que, ao ler "Do Cabaré ao Lar", nos parece bastante claro às anarquistas do início do século no Brasil.

REFERÊNCIAS BIBLIOGRÁFICAS

1 FOUCAULT, Michel. **Microfísica do poder.** 3.ed. Rio de Janeiro, Graal, 1984.
2 LOBO, Elizabeth Souza. **Emma Goldman.** São Paulo, Brasiliense, 1983.

1. Tele-jornalismo em debate

O Museu da Imagem e do Som — MIS — realiza quinze-
nalmente o vídeo-MIS, evento destinado à divulgação e discussão da produção paranaense e nacional na área de vídeo.

Na evento realizado em 20 de maio, foi apresentado o
material pertencente ao acervo do MIS, relativo à área de
tele-jornalismo. Para tanto, foi a APAH convidada a partici-
par com um representante na mesa dos debates, tendo sido
representada pelo associado Marco Antonio Silveira Mello.

2. Seminários da APAH

Como atividade programada no ano anterior, foram
reativados os seminários da APAH, que objetivam motivar
discussões de temas cívicos relativos a diferentes interesses
de pesquisadores, professores e estudantes em diversas
áreas das ciências humanas.

O primeiro seminário interdisciplinar — realizado no
dia 27 de maio — promoveu um debate referente à obra "Colonos e Poder", da socióloga Maria Cristina Colnaghi. Foram
debatedores o economista Nilson Maciel de Paula e a histo
riadora Marionilde Dias Brepohl de Magalhães.

Eis a súmula da obra apresentada:

COLONOS E PODER
A LUTA PELA TERRA NO SUDOESTE DO PARANÁ

MARIA CRISTINA COLNAGHI

O interesse central dessa Dissertação de Mestrado, da
área de História Social, é conhecer a amplitude do processo
social que culminou no movimento camponês do Sudoeste
do Paraná, no ano de 1957.

Trata-se de um movimento regional de dimensão considerável, que reuniu milhares de colonos e subverteu a ordem

estabelecida, através da tomada de várias cidades (Santo Antonio do Sudoeste, Capanema, Pato Branco e Francisco Beltrão) e da destituição temporária das autoridades públicas. Tudo isso contando com a garantia do Exército Nacional, que não cumpriu no Sudoeste do Paraná a tradição de confronto direto e de acomodação dos movimentos camponeses, muito pelo contrário, esteve ao lado dos mesmos, dando-lhes garantias.

A região Sudoeste do Paraná, em região fronteiriça à Argentina, possui terras das mais férteis e detinha na época a maior reserva de pinheiros do Brasil.

As condições iniciais da ocupação da região Sudoeste eram extremamente favoráveis ao camponês, pois havia disponibilidade de terras férteis, com rica reserva florestal e regime de pequena propriedade, com obtenção de domínio sem ônus para o camponês. Em vista disso, a região foi ocupada velozmente por migrantes oriundos de zonas de ocupação antiga (Rio Grande do Sul e Santa Catarina). Porém, no momento em que esses colonos chegavam, em grande parte como resultado da orientação da política de ocupação das terras do Oeste brasileiro, ocorria largamente a violência da grilagem e a chegada das empresas privadas de colonização.

A noção de propriedade da terra, essencial na reprodução do camponês, fez com que ele, na categoria de posseiro ou mesmo de pequeno proprietário, assumisse uma posição de defesa da terra que cultivava, na medida em que as companhias imobiliárias avançavam sobre ela, transformando-a em mercadoria.

A questão da luta pela terra no Sudoeste do Paraná, no final da década de 50, desvenda com nitidez o caráter político da luta e do confronto entre classes sociais, entre exploradores e explorados. O problema básico é, pois, o sistema de exploração e dominação, em uma sociedade marcada por diferenciações sociais com base econômica.

Como eixo da análise, tem-se duas pressuposições básicas: uma é que a ligação entre o Governo Estadual e o grupo econômico recebedor das terras de Missões e parte de

Chopin compôs um conjunto de interresses contrários às reivindicações da massa camponesa. A outra é que a ação do aparelho repressivo de Estado (Judiciário e policial) garantiu, tanto pela morosidade e inércia como pela parcialidade e omissão, o surgimento e manutenção de um espaço de violência e exploração camponesa na região.

Tendo em vista desenvolver essas pressuposições, o presente trabalho conta com três capítulos empíricos: um, trata da história "legal" da terra, através da qual tem-se conhecimento da origem da disputa judicial pelas terras, paralelamente, do movimento de ocupação da região; outrfo, busca a detecção dos mecanismos políticos de mediação entre os camponeses e o Estado; e, o último, a reconstituição do cotidiano de violência, privilegiando as condições históricas concretas em que os camponeses elaboraram sua identidade ideológica e inseriram-se na estrutura de poder.

* * *

O segundo seminário, realizado em 19 de junho, contou com a presença do historiador Kazumi Munakata, da Universidade Estadual de Campinas, que falou sobre "O conceito de História". O texto no qual se baseou o autor será publicado em um número posterior da revista.

Esta diretoria espera receber dos leitores desta publicação, sugestões de nomes e temas para os próximos seminários, que devem ocorrer com periodicidade mensal.

3. **História e Indústria:**
   uma nova contribuição para o debate

Com a preocupação de discutir o já consagrado mito do desenvolvimento industrial e sua contribuição para o progresso econômico e político do Brasil, defendido por um sem número de historiadores, a APAH promoveu um curso intitulado "Industrialização e constituição do trabalho urbano", onde se procurou destacar que a racionalização do trabalho não visou apenas a otimização da produção, mas também o controle do trabalhador, que seria adaptado a um novo ritmo de trabalho, baseado não em suas técnicas tradicionais, mas nas impostas pelos diferentes "saberes" competentes.

Este evento contou com o apoio financeiro do Conselho Estadual de Ciência e Tecnologia — CONCITEC e com o apoio institucional da Biblioteca Pública do Paraná que cedeu seu auditório para a realização do mesmo.

No conteúdo da programação constaram as seguintes palestras e respectivos apresentadores:

23 de junho: "O mundo da fábrica — sobre a constituição da sociedade industrial", pelo economista Eduardo Moreira.

24 de junho: "O IDORT e os princípios da racionalização do trabalho", pela professora historiadora Maria Antonieta Martinez Antonacci, da Universidade de São Paulo.

25 de junho: "A constituição do trabalhador urbano e o espaço da marginalidade em Curitiba — 1890-1920", com os professores historiadores Maria Ignês Mancini de Boni, da Universidade Federal do Paraná e Luís Carlos Ribeiro, da Faculdade Católica de Administração e Economia.

26 de junho: "O cotidiano da fábrica", com a professora Maria Auxiliadora Guzzo de Decca, da Pontifícia Universidade Católica de São Paulo.

O encontro contou com a presença de cerca de 40 participantes e foram expedidos certificados aos interessados.

Alguns dos resultados deste evento serão publicados em números posteriores desta revista.

I Encontro Regional da Associação Nacional de Professores Universitários de História — ANPUH.

A APAH deverá se fazer presente no I Encontro Regional de História, promovido pela ANPUH — núcleo do Paraná, a ser realizado de 1.° a 3 de outubro do corrente, na Universidade Federal do Paraná, sob o tema "Cultura e Sociedade"; tal evento conta com o apoio desta entidade, que deverá abrir espaço na revista "HISTÓRIA: Questões e Debates", para publicação de textos apresentados durante o encontro.

REFERÊNCIAS BIBLIOGRÁFICAS

COLNAGHI, Maria Cristina. **Colonos e poder;** a luta pela terra no Sudoeste do Paraná. Curitiba, 1984. Dissertação de Mestrado, UFPr 234 p.